Le cinéma

Francis Vanoye

Francis Frey

Anne Goliot-Lété

NATHAN

SOMMAIRE

© Éditions Nathan, 9, rue Méchain - 75014 Paris - 1998 – ISBN 2.09.177816.8

Divisé en six parties, l'ouvrage s'organise par doubles pages.
Chaque double page fait le point sur un thème
et fonctionne de la façon suivante.

À gauche
Une page synthèse apporte toutes les
informations pour comprendre le sujet
de la double page.

À droite
Une page explication développe un
point particulier qui illustre et
complète la page de gauche.

Le menu aide à repérer
les six parties du livre.

Le titre annonce
le thème de la double page.

Le titre de la page de droite
met en lumière
un point particulier.

Quelques lignes d'introduction
présentent les principaux
éléments du sujet.

HISTOIRE
GENRES ET FORMES
RÉALISATION
PRODUCTION/DIFFUSION
TECHNIQUES
LIRE UN FILM

La promotion du film

Un film est un investissement qu'il convient de rentabiliser, le budget promotionnel est souvent considérable pour obtenir des rentrées financières rapides. La publicité est multiforme mais la radio et la télévision jouent un rôle primordial dans le lancement d'un film.

La rentabilisation du film

☐ La distribution est chargée de rentabiliser le plus vite possible des investissements considérables. Le film n'est pas considéré comme une production artistique mais comme un objet à la recherche d'un public de consommateurs. La qualité de la promotion devient l'élément essentiel pour la réussite financière d'un film. Il faut drainer le maximum de spectateurs dans un minimum de temps.
☐ Le budget publicitaire peut dépasser le budget de production : ainsi le budget de *Jurassic Park* de Steven Spielberg atteint 80 millions de dollars pour la production et 105 millions de dollars pour la promotion aux États-Unis et dans le monde. En France, il existe un fort déséquilibre entre Paris (70 % des dépenses publicitaires pour moins de 20 % de la population) et la province.

Une publicité multiforme

☐ Un attaché de presse est chargé de remettre un dossier à la presse lors de projections le plus souvent privées. Son rôle est de faciliter les rencontres des médias avec les comédiens et le réalisateur.
☐ Un agent de publicité se charge de l'affichage, de la location des emplacements dans les journaux. L'essentiel du budget est concentré sur la région parisienne (affiches murales sur les autobus et dans le métro).
☐ Des extraits de film, des bandes-annonces sont présentés dans les salles de cinéma. Des vidéocassettes de ces extraits sont envoyés aux chaînes télévisées. La tendance actuelle des distributeurs en matière de promotion des films est de réduire la part de l'affiche et des encarts publicitaires dans les journaux pour donner la priorité à des médias aux retombées plus immédiates comme la radio ou la télévision. Mais leur accès est réservé à des films événements généralement coproduits par la télévision elle-même ; ainsi, les chaînes, en invitant réalisateurs et acteurs, font leur propre promotion.
☐ La télévision participe à des shows comme la Nuit des césars copiées sur le modèle des oscars d'Hollywood. Il ne s'agit pas ici d'une recherche de talents nouveaux et d'auteurs. Les césars ont pour but, en récompensant des films médiatisés, d'affirmer un système économique en place.

Les festivals

Les festivals sont des manifestations nationales ou internationales à l'intention du public et de la presse, consacrés aux longs ou aux courts métrages parfois aux deux. Les films primés bénéficient d'une large publicité. Ces festivals sont aussi des marchés, le distributeur peut tenir un stand et exposer son catalogue. Certains se sont spécialisés. En France, par exemple, Annecy se consacre à l'animation, Lille et Clermont-Ferrand honorent le court métrage, Paris aime le documentaire, etc.

98

LE FESTIVAL DE CANNES

■ **Que la diffusion soit !**
La création du Festival de Cannes, décidée en 1939 par le gouvernement français, fut contrariée par la guerre. Il faudra attendre 1946 pour qu'il ait lieu tous les ans et s'installe peu à peu dans une reconnaissance internationale. Les prix de la sélection officielle assurent aux films primés une large diffusion, aussi bien en France qu'à l'étranger. En particulier, la Palme d'or, grand prix du Festival de Cannes, récompense théoriquement le meilleur film en compétition. Le jury est constitué de personnalités de nationalités différentes indéniablement reconnues dans le monde du cinéma.
Les prix d'Interprétation (masculine et féminine) donnent aux acteurs une reconnaissance et permettent un développement de leur carrière.

Affiche du 50e anniversaire du Festival de Cannes.

■ **Un lieu ouvert à tous**
Cannes met aussi d'autres films en compétition au cours d'autres sélections : Semaine de la critique, Un certain regard, Cinéma d'en France, Caméra d'or, Sélection du court métrage ...
Cannes est une vitrine du rêve dont la télévision se fait de plus en plus l'écho et le médiateur, avec le risque de voler la vedette au cinéma lui-même !

Les dix premières années des Palmes d'or

1946 : 11 Palmes décernées à 11 pays différents, pour la France : *La Symphonie pastorale* de Jean Delannoy
1947 : 6 lauréats, en France : *Antoine et Antoinette* de Jacques Becker et *Les Maudits* de René Clément
1948 : pas de festival
1949 : *Le Troisième Homme* de Carol Reed
1950 : pas de festival
1951 : *Miracle à Milan* de Vittorio de Sica
1952 : ex aequo : *Deux sous d'espoir* de Renato Castellani et *Othello* d'Orson Welles
1953 : *Le Salaire de la peur* de H. -G. Clouzot
1954 : *La Porte de l'enfer* de T. Kinugasa
1955 : *Marty* de Delbert Mann
1956 : *Le Monde du silence* de Jacques-Yves Cousteau et Louis Malle
En cinquante ans, la France a eu dix fois la Palme.

La fille d'Ingmar Bergman reçoit la Palme des palmes offerte à son père pour l'ensemble de son œuvre.

99

Les sous-titres permettent
de saisir l'essentiel
en un coup d'œil.

L'illustration apporte
un complément au texte.

L'encadré précise,
explique, détaille.

HISTOIRE

GENRES ET FORMES

RÉALISATION

PRODUCTION/DIFFUSION

TECHNIQUES

LIRE UN FILM

1895 : la naissance du cinéma

Durant des siècles, d'innombrables expériences ont annoncé le cinéma. Celui-ci naît en 1895 grâce aux nouvelles techniques, et à la création d'un contexte social de projection : la séance de cinéma.

Avant le cinéma

☐ *Les ombres :* depuis les premiers théâtres d'ombres en Extrême-Orient, une série de dispositifs de projection d'ombres, souvent associés à la magie ou à la sorcellerie, n'a cessé de fasciner ou de terrifier les spectateurs. Parmi eux, dès le XIIIe siècle, la *camera obscura,* perfectionnée à la Renaissance, par les peintres, embryon du futur appareil photographique ; la « machine à métamorphoses » inventée vers 1650 par le jésuite allemand Athanasius Kircher (1601-1680) ; enfin la lanterne magique, créée en 1659 par le Néerlandais Christiaan Huygens (1629-1695) et améliorée à la fin du XVIIIe siècle par Étienne-Gaspard Robert, qui ne s'inclinera que devant le cinéma.

☐ *Les dio-, pano-, géorama :* en forme de rotonde ou de sphère, ces dispositifs « grand format » du XIXe siècle placent le visiteur au centre du spectacle, dans une position comparable à celle du spectateur des géodes modernes.

☐ *Les appareils :* au cours de la seconde moitié du XIXe siècle naît une famille d'appareils (stroboscope, praxinoscope, etc.) fonctionnant selon un principe identique : le spectateur regarde à travers des fentes une série d'images (dessins ou photos) qui tournent rapidement. L'étroitesse des fentes et le phénomène de la persistance rétinienne créent artificiellement la synthèse du mouvement. C'est Thomas Edison (1847-1931) qui réalise en 1894 le plus proche ancêtre du cinéma : le kinétoscope, caisse de bois dans laquelle défile un film 35 mm perforé (dont le standard actuel a pratiquement conservé les caractéristiques).

L'invention

☐ Personne n'a inventé le cinéma qui restera une œuvre collective, née dans un climat de méfiance et de trahison. En 1895, de nombreux inventeurs, en Grande-Bretagne, en Allemagne, aux États-Unis, en France, touchent presque au but. C'est la course aux brevets et la mode des procès. C'est cette année-là que les frères Lumière mettent au point leur caméra réversible servant à la prise de vue comme à la projection. Appelée d'abord « kinétoscope de projection », elle sera vite rebaptisée « cinématographe ». Cependant, cet appareil ne sera jamais commercialisé, et son mécanisme, qui ménage peu la pellicule et provoque des sautes d'image à la projection, sera vite abandonné.

☐ En différents points du globe, cette même année, on peut assister aux premières projections publiques et payantes. C'est la naissance des premières séances et des premiers publics de cinéma. La plus célèbre (mais non la première) est donnée à l'initiative d'Antoine Lumière, père de Louis et Auguste, au salon indien du Grand Café, à Paris, le 28 décembre. Au programme, entre autres : *La Sortie des usines Lumière, L'Arroseur arrosé,* etc. L'expérience de la famille Lumière est couronnée de succès. En 1897 s'ouvre porte Saint-Denis, à Paris, le « Cinéma Lumière », peut-être la première salle au monde. Le cinématographe, déjà surnommé « cinéma », ne va pas tarder à devenir une industrie.

ROBERTSON ET LA LANTERNE MAGIQUE

■ Du Pavillon de l'Échiquier au couvent des Capucines

En 1798, Robertson propose un spectacle baptisé « fantasmagorie ». La première séance, tenue le 23 janvier à 18 heures au Pavillon de l'Échiquier, fascine spectateurs et journalistes. Robert le physicien devient alors Robertson le « fantasmagore ». Devant le succès, il quitte le Pavillon de l'Échiquier, trop exigu, pour s'installer au couvent des Capucines, lieu, dit-on, mal fréquenté et funèbre à souhait. La première séance a lieu le 3 janvier 1799 à 19 heures 30.

■ La fantasmagorie

Le spectateur n'accède à la salle qu'après avoir traversé des cours et jardins sombres et menaçants ainsi qu'un long corridor que Robertson a soigneusement décoré d'objets et de tableaux étranges. À l'issue d'un tel parcours initiatique, le spectateur est prêt pour la séance macabre : la pièce est plongée dans l'obscurité, un spectre apparaît alors, qui grossit et semble s'approcher de l'audience avant de rétrécir et s'éloigner au gré des déplacements de l'appareil de projection monté sur rails.

Le caractère ambigu de la fantasmagorie tient au double discours tenu par son créateur : d'un côté, Robertson prétend anéantir l'obscurantisme et ses croyances absurdes ; de l'autre, il ne dévoile pas ses ficelles et maintient l'appareil de projection à l'abri des regards. Serait-il plus rentable de faire peur que d'instruire ?

■ La fin de l'exclusivité

Les affaires vont leur train, mais Robertson sent vite poindre les dangers du plagiat. Il dépose, fin janvier 1799, son brevet d'invention du *fantascope-mégascope.* L'obtention du brevet, en mars,

Une fantasmagorie.

lui permet d'intenter un procès à ses imitateurs. Or, ce procès se retourne contre lui lorsque ses adversaires démontrent qu'il n'est pas l'inventeur des procédés qu'il utilise. Il n'a, en vérité, que repris les techniques d'un certain Philidor, et sa fantasmagorie n'est autre qu'une séance de lanterne magique perfectionnée. Son innovation n'aurait consisté qu'à utiliser simultanément deux lanternes magiques. La technique de ses projections étant ainsi révélée, Paris grouille bientôt d'imitateurs.

Who's who

Thomas Edison (1847-1931) est un ingénieur et un inventeur de génie (il déposa plus de mille brevets). Le phonographe, le microphone, le télégraphe, le kinétoscope et la lampe électrique ne sont que quelques réalisations de son esprit prolifique.
Athanasius Kircher (1601-1680) est un jésuite et savant allemand qui se distingua par l'étude de la langue copte et par ses nombreux ouvrages scientifiques sur l'acoustique et la lumière, ouvrages où il exposa le principe de la lanterne magique.

HISTOIRE

GENRES ET FORMES

RÉALISATION

PRODUCTION/DIFFUSION

TECHNIQUES

LIRE UN FILM

1895-1910 :
la guerre industrielle

**La guerre de l'invention devient, durant les quinze premières
années du cinéma, une guerre industrielle. Partout des films se
réalisent, des courants naissent, des noms, des titres s'imposent.**

L'industrie, la concurrence

☐ Au lieu de poursuivre dans la voie du perfectionnement technique (à l'Exposition universelle de 1900 apparaissent déjà la couleur, les écrans géants…, autant de nouveautés qui ne seront pas exploitées immédiatement), le cinéma se transforme, entre 1895 et 1910, en une industrie aux enjeux internationaux. En 1909, le film 35 mm d'Edison devient standard, ce qui va faciliter les échanges et aiguiser la concurrence.

☐ La France connaît sa première baisse de fréquentation des salles en mai 1897, baisse renforcée par le non-renouvellement des films. Le cinéma est délaissé par la « bonne société » et devient un spectacle forain. Charles Pathé (1863-1957), puis son rival Léon Gaumont (1863-1946) vont alors revitaliser le cinéma français.

☐ En 1905, on ouvre à Pittsburg (États-Unis), le premier nickelodeon (le prix d'entrée y est de 5 cents, soit 1 nickel). Les salles se développent à une vitesse vertigineuse. En 1910, on compte 10 000 salles aux États-Unis.

☐ En 1907-08, la Motion Pictures Patents Company (MPPC), dirigée par Edison et le représentant de la Biograph, dépose une série de brevets qui leur assurent le contrôle de la totalité de la production cinématographique américaine. Le *Trust* n'hésite pas à avoir recours à la force pour décourager les indépendants. Il sévira jusqu'en 1915, date à laquelle est votée une loi anti-trust condamnant le monopole d'Edison.

Des auteurs et leurs films

☐ En France, les premières années du cinéma sont marquées par deux tendances associées à deux grands noms : Lumière et Méliès. Les frères Lumière font du cinéma documentaire : ils forment et envoient dans le monde entier des opérateurs chargés de rapporter des vues exotiques. Ils deviennent ainsi producteurs et distributeurs. Méliès, homme de théâtre et prestidigitateur, se situe du côté de la fiction et de la fantaisie. À ses tours de magie, il ajoute des trucages cinématographiques. Les Lumière s'éclipsent aux environs de 1900, laissant la place à celui qui deviendra un sérieux rival pour Méliès : Pathé.

☐ En Grande-Bretagne, les représentants de l'École de Brighton, William Friese-Greene, George Albert Smith et James Williamson, développent un certain langage cinématographique. Leurs films contiennent surimpressions, ellipses, montage narratif, alternance de gros plans et de plans d'ensemble, etc.

☐ Aux États-Unis, les premiers films sont plutôt centrés sur les actualités, les matchs de boxe, etc. En 1903, Edwin S. Porter s'impose avec *Le Vol du grand rapide*, considéré comme l'une des premières fictions à scénario et découpage, et surtout comme le premier western. La société de production Vitagraph, installée à New York, tourne des actualités reconstituées, des fictions, des adaptations de pièces de théâtre et des films réalistes.

■ L'ascension

Charles Pathé fait ses débuts en 1895 sur les foires, muni d'appareils de cinéma importés d'Angleterre. Un mécène lui permet, en 1898, d'installer son studio à Vincennes où il produit ses films. Il devient alors un homme d'affaires. Son studio prend plus d'importance que celui de Méliès.

Entre 1903 et 1909, le cinéma devient une industrie dont Vincennes est la capitale. La société Pathéfrères fait des bénéfices colossaux et domine le monde. Des agences, puis des succursales sont ouvertes partout, y compris aux États-Unis. En juillet 1909, Pathé fait un « coup d'état » en passant de la vente à la location de films. Petit à petit, il fabrique les appareils et les matières premières, jusqu'à la pellicule (au grand dam d'Eastman qui entendait imposer son exclusivité en Europe), contrôle toutes les phases de fabrication du film et domine le commerce international de ce qui va devenir le septième art.

Le personnel des studios Pathé.

■ La production Pathé

Aux débuts de Pathéfrères, il faut associer le nom de Ferdinand Zecca (1864-1947) qui, très vite, sera responsable des mises en scène de Vincennes. Tous deux issus du milieu forain, Pathé et Zecca connaissent bien les goûts populaires et savent produire des films adaptés à ce public. Les premiers films de Zecca plagient Méliès tout en prenant modèle sur le style anglais : simplification du décor, ouverture de l'espace, alternance du plein air et du studio.

Les genres pratiqués chez Pathéfrères sont variés : la scène dramatique réaliste, les actualités reconstituées (sortes de scènes historiques), les films « à trucs » (dont le spécialiste sera Gaston Velle), les sujets grivois, le drame sentimental, baptisé « ciné-roman », et bien sûr le comique. En 1905, Max Linder (1883-1925) fait son apparition chez Pathé et introduit le comique de situation.

1906 correspond à un tournant artistique. Les films deviennent plus créatifs, les scénarios plus élaborés, les acteurs sont mieux formés. La *Passion* de Zecca, sorti en 1905, est à l'origine d'une nouvelle tendance : le film d'art, qui va se développer dans les années 10.

Who's who

George Eastman (1854-1932), industriel américain, fondateur de la maison Kodak contribua à l'invention du cinématographe avec le film de nitrocellulose.

Léon Gaumont (1863-1946) tente au début du siècle de commercialiser le chronophotographe puis le chronophone mis au point par Georges Demeny pour une première tentative de cinéma sonore.

Edwin Stanton Porter (1869-1941) est un des pionniers du cinéma américain notamment du western. Il fera des essais de cinéma en relief et de cinéma parlant.

HISTOIRE

GENRES ET FORMES

RÉALISATION

PRODUCTION/DIFFUSION

TECHNIQUES

LIRE UN FILM

1910-1930 : la naissance d'Hollywood

Hollywood : une ferme qui devient une ville (dont un des premiers édits interdisait les nickelodeons), puis la capitale du cinéma américain, et finalement la capitale du cinéma mondial.

L'arrivée du cinéma à Hollywood

☐ Située loin des redoutables autorités de la MPPC de New York, mais, surtout, offrant des conditions de tournage exceptionnelles, été comme hiver, ainsi que des paysages très variés, Hollywood attire, au début du siècle, nombre de producteurs de cinéma : D.W. Griffith fait ses débuts hollywoodiens en janvier 1910.

☐ Le western, dont les héros seront Bronco Billy, Tom Mix, William Hart et le *slapstick*, spécialité de Mack Sennet et de son usine à rire, la Keystone, connaissent un essor comparable à celui de la ville.

Des budgets qui ne diminuent pas...

Dans les années 10, les producteurs comprennent qu'un nom de vedette peut rapporter gros (et pas seulement à la vedette). Mary Pickford, Douglas Fairbanks, Charlie Chaplin et d'autres sont adulés, leurs salaires enflent. Le coût des films augmente avec leur durée. À partir de 1913, le long métrage devient la norme. D.W. Griffith et Thomas Ince lancent la mode de la superproduction.

Les effets de la Première Guerre mondiale

☐ Le premier conflit mondial donne naissance au film de guerre. Ince, Griffith, Chaplin, Sennet proposent chacun « leur version des faits ».

☐ En Europe, après le conflit, le cinéma est très affaibli tandis qu'à Hollywood il se porte à merveille, d'où une vague d'émigration des talents européens vers le Nouveau Monde. Les films américains envahissent les marchés européens.

☐ À la fin des années 10, Hollywood est devenue une star. En 1917, la Paramount et la Famous Players fusionnent. La première *Major Company* est née. Elle a à sa tête Adolf Zukor (1873-1976).

Les années 20

☐ Marcus Loew, qui dirige un grand circuit de salles, passe à la production en absorbant d'abord la Metro Pictures, puis la Goldwyn et enfin la Louis B. Mayer pour fonder la MGM. C'est la naissance de la deuxième *Major*.

☐ Pour pallier la crise économique des années 20, pour mieux contrôler et surtout augmenter la productivité, le travail est désormais divisé. Il en résulte une standardisation des films. Les producteurs sont tout puissants face aux créateurs, à qui ils imposent sujets de films, castings, etc.

☐ La crise n'est pas seulement économique, elle est aussi morale. Si Hollywood ne jouit pas d'une excellente réputation (les scandales n'y manquent pas), il faut au moins que les films soient irréprochables. En 1930, le code Hays, du nom de son auteur, dresse la liste des thèmes, scènes, dialogues à proscrire des films. Hollywood entre dans l'ère de la censure, ...et donc de la transgression.

DAVID WARK GRIFFITH

■ Ses débuts

D.W. Griffith (1875-1948) se forme au métier de réalisateur entre 1908 et 1913 : il tourne environ 450 films d'une bobine et brasse à peu près tous les genres. Il devient ensuite une des figures les plus imposantes de l'Hollywood des années 10, durant lesquelles il tourne des films historiques, mais aussi et surtout de grands mélodrames, comme *Le Lys brisé*, réalisé en 1919.

■ La Naissance d'une nation

En 1915, il réalise une grande fresque historique : *La Naissance d'une nation,* qui retrace, sur le mode épique, un épisode de la guerre de Sécession, adoptant la cause sudiste ainsi que celle du Ku Klux Klan. Le film est un triomphe et restera célèbre, notamment pour l'usage qui y est fait du montage alterné.

Intolérance

D.W. Griffith dirige *La Naissance d'une nation.*

■ Intolerance

Après avoir vu *Cabiria*, film à grand spectacle de l'Italien Giovanni Pastrone, et dans l'élan de *La Naissance d'une nation*, il entreprend le projet encore plus colossal d'*Intolerance* (1916), monumentale superproduction aux décors gigantesques et comptant plusieurs milliers de figurants.

Mais *Intolerance* n'aura pas le succès attendu et figurera parmi les échecs commerciaux les plus célèbres de l'histoire du cinéma.

La particularité du film réside dans sa structure, sans doute assez déroutante pour le public. Il fait alterner, en montage parallèle, quatre histoires indépendantes : trois d'entre elles retracent un épisode historique (la Saint-Barthélemy, la Passion du Christ, la chute de Babylone), la quatrième est fictionnelle et se situe à l'époque contemporaine. Le titre, dénominateur commun à ces quatre histoires, fait du film un plaidoyer pacifiste.

D.W. Griffith et le langage cinématographique

Griffith a joué un rôle déterminant dans l'évolution du langage cinématographique. En effet, s'il n'a pas, à lui tout seul, inventé le montage alterné, le suspense, les raccords, le gros plan, etc., il les a institutionnalisés. La structure narrative de ses films servira par la suite de modèle au cinéma classique hollywoodien.

HISTOIRE

GENRES ET FORMES

RÉALISATION

PRODUCTION/DIFFUSION

TECHNIQUES

LIRE UN FILM

Le cinéma soviétique des années 20

Le cinéma russe des années 20, à l'inverse du cinéma américain jugé aliénant, cherche, à travers reportages (Vertov) ou fictions (Eisenstein, Poudovkine, Dovjenko), à « éveiller les consciences ».

Le reportage

☐ Après la révolution de 1917, l'État soviétique nationalise le cinéma dont il entend faire un instrument d'enseignement et de propagande. Ses enjeux ne sont donc pas économiques comme aux États-Unis, mais idéologiques.

☐ Dziga Vertov (1895-1954, pseudonyme signifiant « Toupie, tourne ! ») se situe à mi-chemin entre le journalisme et l'art cinématographique et s'oppose farouchement au cinéma de fiction. Rédacteur en chef de *Ciné-Semaine*, puis fondateur de *Ciné-Pravda*, il constitue, en 1924, le groupe des adeptes du « ciné-œil ». Il filme sur le vif et ne met jamais en scène ses sujets. Pourtant, il ne cherche pas à montrer le monde tel qu'il est mais tel qu'il « doit » être. Il explique, interprète et reconstruit la réalité, exprimant la conception communiste du monde soviétique.

☐ Pour cela, deux moyens : le cadrage, souvent très sophistiqué, qui témoigne d'un certain regard sur le monde, et le montage, considéré comme une véritable écriture permettant d'opposer, de relier, de grouper les sujets, d'organiser le réel et de construire le sens. *L'Homme à la caméra* (1929), film-manifeste du « ciné-œil », montre le caméraman et la monteuse au travail et rend ainsi hommage à leur activité et à leur fonction.

Le film de fiction

☐ Le film de fiction subit le même type de traitement esthétique : le montage est roi et donne un sens particulier aux images. Il est renforcé par des angles de prise de vue marqués (contre-plongées, etc.) et des éclairages contrastés. Les ruptures rythmiques (surdécoupage, accélérations brutales, ralenti, gros plan) apportent une dimension pathétique. La juxtaposition d'images en montage parallèle crée des comparaisons (grévistes fusillés comparés à des animaux abattus dans *La Grève*, par exemple) et un certain type d'argumentation. Le montage sert à exprimer des idées abstraites plus qu'à garantir une parfaite cohérence spatio-temporelle.

☐ Ces moyens permettent aux réalisateurs de ne pas « asservir » leurs films (ni, par conséquent, le public) aux histoires qu'ils racontent, mais d'exprimer une certaine réflexion sur le sens historique. Ils mettent en scène et chantent les luttes de classes et l'élan révolutionnaire, refusant le star-system, le principe de rentabilité commerciale et le mode de récit du cinéma américain.

☐ Chez Serguei M. Eisenstein (1898-1948), point de personnage principal, point de star, mais des foules (*Le Cuirassé Potemkine*, 1925).

☐ Chez Vsevolod Poudovkine (1893-1953), le personnage principal de *La Mère* (1926) est l'emblème de la prise de conscience révolutionnaire, il exprime autre chose qu'un simple devenir individuel.

☐ Aleksandr Dovjenko (1894-1956) aussi, à travers son style personnel, épique et lyrique, se plie aux contraintes politiques et exprime l'exaltation révolutionnaire.

SERGUEI MIKHAÏLOVITCH EISENSTEIN

■ De la scène à l'écran

Avant de devenir l'un des cinéastes soviétiques les plus importants de son époque, S.M. Eisenstein (1898-1948) fait ses classes au théâtre. Mais il préfère très vite le cinéma au théâtre, plus apte à exprimer sa conception du monde.

Grâce à son premier long métrage, *La Grève* (1924), dans lequel il applique sa conception du montage, Eisenstein gagne la confiance des autorités qui lui confient aussitôt la réalisation du *Cuirassé Potemkine* (1925), film de commémoration de la révolution de 1905, chef-d'œuvre incontesté témoignant d'une impressionnante maîtrise du langage cinématographique.

■ Un film sans moyens

Réalisé en sept semaines seulement à partir d'un maigre canevas, avec, dans les rôles principaux, la population d'Odessa et la Flotte rouge, presque sans

acteurs, sans studio, sans décors, sans maquillages, *Le Cuirassé Potemkine* dégage une force prodigieuse et s'imposera comme la grande épopée de la Révolution soviétique.

L'accueil en URSS est unanimement enthousiaste. À l'étranger, le film est à la fois applaudi pour ses qualités cinéma-tographiques et censuré pour son contenu politique.

Eisenstein entreprend ensuite, en 1926, *La Ligne générale* (qui sortira en URSS sous le titre : *L'Ancien et le nouveau*), dont le tournage est interrompu par celui d'*Octobre*, film célébrant la révolution de 1917.

■ Le miroir américain

En 1929, Eisenstein est invité à Holly-wood. Mais la United Artists puis la Para-mount l'abandonnent. Tous ses scénarios sont refusés. Enfin, en 1932, l'écrivain-scéna-riste Upton Sinclair, offre à Eisenstein de réaliser au Mexique *Que viva Mexico !*. Mais devant les dépassements de budget, Sinclair inter-rompt le tournage.

■ Le retour de l'enfant prodigue

De retour en URSS, Eisenstein doit recon-quérir sa renommée. Ce n'est qu'en 1938 qu'il s'impose à nouveau avec *Alexandre Nevski*, ce qui lui permettra d'entre-prendre son ultime grande œuvre *Ivan le Terrible*, dont il ne tournera que deux des trois parties initialement prévues, et dont la seconde sera censurée par les autori-tés et ne sortira qu'en 1958, dix ans après la mort du réalisateur.

Vsevolod Poudovkine (1893-1953)

Poudovkine commence sa carrière comme acteur et réalisateur. *La Mère* (1926) apparaît comme son grand chef-d'œuvre, situé au même rang que *Le Cuirassé Potemkine*. Poudov-kine se démarque pourtant d'Eisenstein par des scénarios très écrits, très construits, et plus classiques. Avec Eisenstein, il voit d'un mauvais œil l'arrivée du parlant. Ensemble, ils éla-borent un traité préconisant un certain usage du son. Son dernier film, tourné l'année de sa mort, sera aussi son seul film en couleurs : *La Moisson*.

HISTOIRE

GENRES ET FORMES

RÉALISATION

PRODUCTION/DIFFUSION

TECHNIQUES

LIRE UN FILM

La France des années 20

Si les années 20 marquent l'essor du cinéma américain, elles sont celles du déclin économique de l'industrie cinématographique française. Cependant, bien que peu fécondes quantitativement, elles offrent une grande variété de films, allant du pur produit commercial aux expériences les plus avant-gardistes.

Une industrie en déclin

☐ En 1920, l'industrie cinématographique française est en plein déclin. La tendance des années 1900 s'est inversée. En effet, les films français, qui autrefois s'exportaient un peu partout, se voient supplantés par leurs rivaux venant des États-Unis qui, sortis gagnants du conflit mondial, envahissent les écrans du monde entier. L'empire Pathé fond progressivement. Les filiales sont vendues les unes après les autres, l'usine de pellicule de Vincennes est cédée aux Américains d'Eastman-Kodak. Charles Pathé abandonne définitivement ses responsabilités en 1930 après avoir vendu ses actions.

☐ Gaumont, à quelques années d'intervalle, connaît le même sort. La production est désormais assurée par de petites sociétés. Entre 1921 et 1929, on passe de 150 à 50 films produits par an.

Une production peu abondante mais variée

☐ *La production courante* comprend, d'une part, le cinéma commercial représenté par les drames mondains « bourgeois » et par les *serials* ou films à épisodes, adaptés de la littérature populaire, et, d'autre part, les œuvres de cinéastes au style plus personnel et prometteur : Jacques Feyder (1885-1948), qui a déjà fait ses preuves pendant la guerre et qui réalise, en 1921, *L'Atlantide*, Julien Duvivier (1896-1967) et Jean Renoir (1894-1979).

☐ Elle comprend également les films des « Russes de Montreuil » (réalisateurs, acteurs, décorateurs, chassés par la révolution russe et venus s'installer à Montreuil, dans les studios Pathé), des films réalisés dans la pure tradition russe.

☐ *La première avant-garde* se constitue en marge de cette production courante, autour de Louis Delluc (1890-1924), journaliste devenu cinéaste. Ce groupe entend pratiquer un cinéma authentique, aux scénarios originaux, affranchis de la littérature, du théâtre et de l'histoire. Cette authenticité passe par la recherche d'un nouveau langage des images. Cette tendance, à laquelle participèrent Abel Gance (1889-1981), Jean Epstein (1897-1953) et Marcel L'Herbier (1888-1979), fut nommée « impressionnisme », en référence au mouvement pictural, mais aussi en référence et en opposition à l'expressionnisme allemand. 1924, année de la mort prématurée de Delluc, marque la fin du mouvement.

☐ *La seconde avant-garde,* dadaïste puis surréaliste, s'insurge contre le cinéma bourgeois, dont le succès repose sur les décors, les costumes et les acteurs à la mode, et qui parvient même à séduire certains « ex-impressionnistes ». Elle consiste en quelques expériences isolées, qui voient le jour en dehors des circuits commerciaux, ayant en commun un goût de la provocation et de l'abstraction. De cette tendance, qui ne touchera pas le grand public, émergera Luis Buñuel (1900-1983), avec son *Chien Andalou* (1928) lié au nom de Dali.

LE NAPOLÉON D'ABEL GANCE

■ L'histoire du film

En 1923, le projet d'Abel Gance était de réaliser huit films retraçant la vie de Napoléon, de sa jeunesse jusqu'à Sainte-Hélène. Il avait été accepté par la Westi, maison de production allemande. Mais la faillite de cette dernière, en 1925, interrompt le tournage qui ne reprend que l'année suivante, grâce au relais pris par la Société générale de films. Le projet initial est alors réduit à ses trois premières parties, qui seront présentées sous la forme d'un film unique. Il est projeté à l'Opéra le 7 avril 1927 et remporte un vif succès.

Ce film a été plus d'une fois remanié : sonorisé en 1934, remodifié en 1971, à nouveau muet pour la dernière version, la plus complète et la plus monumentale, préparée par l'historien anglais Kevin Brownlow en 1981. Cette version a effectué une tournée triomphale à New York, Londres, Rome et Paris entre 1981 et 1983.

■ Une innovation : le triple écran

Si l'histoire du cinéma place le *Napoléon* au premier rang des chefs-d'œuvre, c'est pour ses procédés nouveaux, notamment le triple écran et ses multiples usages :
— projeter trois images raccordées pour n'en former qu'une, trois fois plus large que l'image normale ;
— projeter trois images différentes d'un même événement ;
— projeter trois fois la même image ;
— projeter, de part et d'autre de l'image centrale, une image inversée, pour créer une symétrie ;
— projeter trois images différentes se chassant les unes les autres, passant de gauche à droite, puis au centre, etc.
Les doubles et triples écrans seront, par la suite, perfectionnés, mais aucun film n'en proposera un usage aussi original que le *Napoléon*.

■ Napoléon, une « cathédrale de lumière »

Composé d'épisodes discontinus et disparates, le film n'est pas une reconstitution historique. Malgré les citations et références qui voudraient authentifier les faits, ce qu'il raconte de la vie de Napoléon tient plus de la légende que de l'histoire.

Le rythme effréné, créé par des mouvements de caméra incessants et par un montage éblouissant, donne au film, du début à la fin, un ton exclamatif et le préserve du ridicule dans lequel aurait pu l'entraîner un certain schématisme, une certaine naïveté et un goût parfois douteux de l'hyperbole. Gance parvient à réaliser ce qui, pour lui, était une obsession : faire du spectateur un acteur, l'immerger dans l'action.

« Créer une symétrie. »

HISTOIRE

GENRES ET FORMES

RÉALISATION

PRODUCTION/DIFFUSION

TECHNIQUES

LIRE UN FILM

L'Allemagne de 1920 à 1940

> Le cinéma allemand des années 20 puise son inspiration soit dans les autres arts (films expressionnistes et expérimentaux) soit directement dans le contexte de la crise socio-économique (films réalistes). Le nazisme engendre, dans les années 30, des films de propagande et fait fuir les cinéastes réfractaires au régime.

Les années 20 : expressionnisme, réalisme, film expérimental

□ *L'expressionnisme :* les arts plastiques et l'avant-garde théâtrale suscitent l'éclosion d'un cinéma expressionniste. Bien que peu abondante, cette production de films figuratifs, narratifs mais antiréalistes, tant sur le plan esthétique que thématique, a laissé des traces non négligeables dans les cinémas allemand, français (réalisme poétique) et américain (film noir). Le film-manifeste de l'expressionnisme est *Le Cabinet du docteur Caligari* (Robert Wiene, 1919). *Nosferatu le vampire* (1922), bien qu'aux décors réalistes, reste le plus expressionniste des films de Friedrich Wilhelm Murnau.

□ *Le réalisme :* la crise des années 20, l'inquiétude et l'insécurité qu'elle génère, fournit la matière à un ensemble de films à tendance réaliste, mais toujours plus ou moins influencés esthétiquement par l'expressionnisme. Fritz Lang (1890-1976), par exemple, donne à travers ses deux premiers *Docteur Mabuse* (1922) une image de l'Allemagne victime de l'inflation et accorde une grande importance aux détails réalistes (scènes de rues, notamment), mais son héros psychiatre, fou, supercriminel aux pouvoirs surnaturels n'est pas sans rappeler l'expressionnisme. Les mélodrames sociaux de Georg Wilhelm Pabst (cinéaste de nationalité autrichienne, 1885-1967), plus franchement réalistes, dépeignent la misère viennoise pendant l'inflation (*La Rue sans joie, Loulou*, etc.).

□ *Le film expérimental :* au début des années 20, en marge de l'UFA (la principale société allemande de production et de distribution fondée en 1917), se développe un cinéma expérimental à caractère abstrait, non narratif, fortement influencé par les arts plastiques et dont les recherches portent sur les rythmes et les mouvements. Hans Richter (1888-1976) et Walter Ruttman (1887-1941) en sont les principaux représentants.

Les années 30 : bouleversement technique et idéologique

□ Parmi les premiers films sonores, deux films-phares : *L'Ange bleu* (Joseph von Sternberg, 1930) et *M le Maudit* (F. Lang, 1931). Mais Lang refuse la direction du cinéma allemand offerte par Goebbels et poursuit sa carrière aux États-Unis (où Sternberg est déjà installé). La production courante, en ce début de décennie, propose surtout des films musicaux, dont beaucoup d'opérettes assez médiocres.

□ Au début des années 30, le film patriotique, dont une série de « Heimat-films » (films d'aventures alpestres mêlant nationalisme, héroïsme et sentimentalisme, exaltant la terre patrie et la nature), ouvre la porte au cinéma de propagande. En 1933, Hitler est au pouvoir et le cinéma constitue pour le parti national-socialiste un puissant organe « éducatif ». Leni Riefenstahl (née en 1902) réalise ses films sur le congrès de Nuremberg : *Triomphe de la volonté* en 1935 et sur les jeux Olympiques de Berlin en 1936 avec *Les Dieux du stade*.

LE CINÉMA EXPRESSIONNISTE

■ L'expressionnisme et le cinéma

L'expressionnisme, dans sa manifestation la plus pure et dans sa vocation antiréaliste, était pour ainsi dire incompatible avec le cinéma, dont le mode de représentation est par essence réaliste. Les décors imposaient un espace plus théâtral que cinématographique. C'est pourquoi il ne peut exister qu'un cinéma expressionniste au sens large, qui va de 1913 (*L'Étudiant de Prague,* de Stellan Rye) à 1933 (*Le Testament du Dr Mabuse,* de Fritz Lang). Le seul cinéaste à se réclamer de ce mouvement est Robert Wiene (1881-1938).

Nosferatu, le vampire **de Murnau (1922).**

■ Les caractéristiques du cinéma expressionniste

Les décors sont hyperstylisés, irréalistes. Les perspectives sont faussées, les rues et les maisons déformées, anguleuses, les formes exacerbées. Les décors créent un univers dissonant, grinçant, hallucinatoire et angoissant, et traduisent les troubles mentaux du héros.

Les éclairages accusent les contrastes entre les zones d'ombre et de lumière. Les ombres représentent souvent le double. Elles dessinent des formes et des lignes sur les décors, les visages et possèdent une forte charge symbolique.

Les maquillages et **les costumes** sont à l'image des décors : outranciers, antiréalistes. Les visages ressemblent à des masques.

Les personnages sont inquiétants et étranges : somnambules, robots, psychiatres fous dangereux, etc.

Le jeu des acteurs est caricaturé, stylisé, caractérisé par un art de la gesticulation.

Les thèmes trouvent leur origine dans le romantisme : la folie, la mort, le destin, l'oppression, le dédoublement, etc.

Le Cabinet du Dr Caligari **de R. Wiene (1919).**

HISTOIRE

GENRES ET FORMES

RÉALISATION

PRODUCTION/DIFFUSION

TECHNIQUES

LIRE UN FILM

L'arrivée du son

À la fin des années 20, le cinéma devient sonore. L'investissement dans les équipements étant lourd, la rentabilité des films est plus que jamais essentielle. Les contraintes techniques font temporairement régresser le langage des images, provoquant la résistance de certains cinéastes.

L'invention

☐ Les premières recherches sur le son, provisoirement abandonnées dans les années 1900, reprennent au cours des années 20, aux États-Unis et en Europe. Ce sont les ingénieurs d'une filiale de l'American Telephone and Telegraph, qui mettent au point le Vitaphone, composé d'un phonographe et d'un projecteur. Mais ce procédé (le son est enregistré sur un disque) pose des problèmes de synchronisme et sera vite remplacé par le système du son optique où son et image, portés par un même support, sont automatiquement synchrones.

☐ La Warner est la première compagnie à se lancer dans le parlant. Elle produit d'abord une série de courts métrages puis, en 1927, *Le Chanteur de jazz*, réalisé par Alan Crosland, premier long métrage dans lequel un acteur parle. Les dialogues restent cependant minimalistes et laissent la priorité à la musique. En 1927, le succès est déjà complet. La Fox ne tarde pas à imiter la Warner, mais pour se spécialiser dans les actualités sonores. Bientôt, tous les studios hollywoodiens sont entraînés dans l'aventure du parlant. Les chercheurs européens talonnent de près les Américains, le son conquiert presque en même temps le vieux continent.

Les conséquences économiques

☐ Le passage au cinéma sonore nécessite d'équiper les studios et les salles. L'investissement est lourd et le coût des films s'accroît. Rentabiliser les films devient le premier souci des producteurs.

☐ L'arrivée du son entraîne un ralentissement de l'exportation des films américains en Europe non anglophone. Mais la mise au point des techniques de doublage est rapide et les États-Unis retrouvent vite leur position dominante.

Les conséquences sur le plan artistique

☐ Le cinéma sonore conquiert immédiatement le public. En revanche, tous les cinéastes ne se montrent pas aussi enthousiastes. Pour certains d'entre eux (Chaplin, Murnau, Clair, Eisenstein, etc.), le son risque d'entraîner une régression du langage cinématographique, parvenu à la fin des années 20 à un haut degré de recherche esthétique.

☐ Les lourdes contraintes techniques font en effet passer au second plan les exigences esthétiques : les caméras sont isolées dans des sortes de sas insonorisés pour éviter aux micros d'enregistrer leurs bruyants ronflements. Les mouvements d'appareil sont rendus pratiquement impossibles. Les micros sont cachés dans le décor... Les tournages en extérieurs ou en décors naturels sont exclus. Pour quelque temps, le cinéma est condamné au studio et a tendance à se figer. Mais en deux ans, les progrès techniques sont fulgurants, le matériel s'allège, se simplifie, on fabrique la caméra silencieuse... Celle-ci retrouve alors sa mobilité et le cinéma son langage.

■ De la musique avant toute chose

Dans les années 30, quelques cinéastes qui voyaient le parlant d'un œil suspect (mais non le son dans sa globalité, puisqu'ils n'étaient pas opposés, loin de là, à des interventions musicales) se sont amusés à utiliser les mots avec une extrême parcimonie, mais surtout d'une manière tout à fait originale.

■ Sous les toits de Paris

Il s'agit du premier film sonore de René Clair, réalisé en 1930. Ce film raconte l'histoire d'un chanteur de rues et se présente comme une sorte de manifeste du cinéma non parlant (mais très chantant). À l'heure où les personnages de films sont enfin en mesure de prononcer des mots, ils communiquent par des chansons et des gestes (les dialogues sont réduits au strict minimum). C'était, pour René Clair, une manière de ne pas faire du cinéma la réplique du théâtre et de continuer à privilégier l'image et le mouvement.

Sous les toits de Paris de **René Clair (1930).**

■ Les Lumières de la ville et Les Temps modernes

Charlie Chaplin, on le sait, a mis du temps à s'adapter au cinéma parlant. Dans la première moitié des années 30, au moment où tout Hollywood était déjà converti, il s'obstine à tourner deux films muets : *Les Lumières de la ville* (1931) et *Les Temps modernes* (1935). Muets mais non silencieux puisqu'ils sont accompagnés de musique, composée par Chaplin lui-même.

Cependant, à la fin des *Temps modernes*, Chaplin fait entendre pour la première fois le son de sa voix et choisit de chanter une chanson dans une sorte de charabia dénué de signification. Là encore, la musique est reine, les mots et leur épaisseur sémantique sont bannis.

Les Temps modernes de **Charlie Chaplin (1935).**

HISTOIRE

GENRES ET FORMES

RÉALISATION

PRODUCTION/DIFFUSION

TECHNIQUES

LIRE UN FILM

Hollywood de 1930 à 1960

En dépit des conflits (externes ou internes) et avant de voir poindre les premiers signes de déclin, Hollywood vit, entre 1930 et 1960, son heure de gloire, grâce au système des studios. Une norme esthétique liée aux genres est mise en place. Elle sera tantôt respectée, tantôt transgressée.

Apogée et premiers signes de déclin des grands studios

☐ En 1929, l'industrie du cinéma comprend cinq *Majors* (Paramount, Loew's, Warner Bros, Fox et RKO), qui possèdent des studios, un réseau de distribution et un circuit de salles, et trois *Minors* (Universal, Columbia et United Artists), qui se contentent de produire et distribuer. Les grands studios ont leurs artistes et techniciens sous contrat, leur spécialité, leur style. Les années 30 à 50 correspondent à l'âge d'or des grands studios et à l'apogée du star-system. Hollywood est bien une gigantesque usine à rêves, organisée, hiérarchisée, taylorisée.

☐ À la Seconde Guerre mondiale succède la « guerre froide » et le maccarthysme dont l'objectif est de débarrasser Hollywood du « virus » communiste. Certains cinéastes ou scénaristes émigrent (Joseph Losey, Jules Dassin, etc.). D'autres voient leur nom inscrit sur une liste noire (la liste comportera près de deux cents noms) leur fermant toutes les portes de la cité du cinéma. Pour exprimer ses opinions, on est désormais contraint d'user de symboles et de paraboles. Les scénaristes prennent des pseudonymes : Dalton Trumbo reçoit ainsi un oscar pour *Les Clameurs se sont tues* de I. Rapper sous le pseudonyme de Robert Rich.

☐ La fin des années 50 marque le début du déclin des studios. La télévision devient un concurrent sérieux et les mesures antitrust obligent les *Majors* à abandonner l'exploitation. Les artistes hésitent à signer des contrats et préfèrent s'impliquer dans la production. Ils créent de petites compagnies indépendantes.

Les films classiques hollywoodiens

☐ Avec l'arrivée du son, Hollywood s'installe dans l'ère du classicisme. Le film classique vise à créer l'illusion d'un univers cohérent et homogène. Pour cela, les scénarios sont élaborés autour d'un ou de deux personnages centraux incarnés par des stars et conçus de façon à faciliter le processus d'identification chez le spectateur. Les événements s'enchaînent selon une logique de consécution et/ou de causalité, de façon à éviter tout hiatus. L'instauration des grands genres et de leurs caractéristiques propres a renforcé cette standardisation des récits.

☐ Cependant, les parfaits exemples de films classiques se font rares et les règles se transgressent facilement. *Citizen Kane* (Orson Welles, 1941) est devenu un grand classique plus parce qu'il bouscule la norme que parce qu'il la respecte. À ce titre, il a fait faire un bond au cinéma mondial.

☐ La couleur va supplanter progressivement le noir et blanc : au cours des années 40, elle est utilisée dans les films d'évasion (comédies musicales, films d'aventures). Le film noir, au contraire, reste fidèle à une certaine esthétique du noir et blanc. Dans les années 50, la couleur et le Cinémascope se généralisent pour réagir contre la concurrence de la télévision. Certains genres comme le western et les films à grand spectacle bénéficieront de ce nouveau double atout du cinéma.

■ Naissance et épanouissement

La fusion de la Metro Pictures, de la Goldwyn Pictures et de la Louis B. Mayer Pictures donne naissance, en 1924, à la Metro-Goldwyn-Mayer qui, dirigée par Louis B. Mayer, va devenir, avec son lion rugissant, l'un des studios de production les plus célèbres d'Hollywood.

La MGM doit beaucoup aux talents d'Irving Thalberg, son plus précieux producteur, et de Cedric Gibbons, son célèbre décorateur.

■ Le déclin

La MGM se montre d'abord assez frileuse avec la couleur, après l'échec du *Magicien d'Oz* (de Victor Fleming) en 1938. Mais, à la fin des années 40, elle contribue à sa généralisation.

Après l'extraordinaire boom de 1946, les difficultés surgissent et vient le lent déclin de la MGM. En 1973, la production est interrompue et les décors et accessoires vendus.

Joan Crawford

Clark Gable

Greta Garbo

Spencer Tracy

■ Les stars

Pour Louis B. Mayer, la réussite d'un studio dépend du nombre de stars sous contrat. « Plus d'étoiles qu'au firmament », telle était la devise de la MGM. Au début des années 30, quelques vedettes féminines distinguées (Greta Garbo, Norma Schearer, Joan Crawford) apportent à la MGM sa réputation de « Tiffany de l'industrie cinématographique ». Les stars masculines, quant à elles, s'imposent surtout à la fin des années 30 et au début de la décennie suivante : Clark Gable, Spencer Tracy et Mickey Rooney, surnommé la « machine à sous » de la MGM.

Louis B. Mayer (1895-1957)

Fils d'émigrés russes, il fait, à 22 ans, l'acquisition d'une salle de cinéma, puis bientôt de tout un ensemble de salles. L'exploitation de *La Naissance d'une nation* lui rapporte beaucoup d'argent et lui permet de se lancer dans la production. En 1924, il dirige la MGM, qu'il ne quittera qu'en 1951.

Célèbre pour son conservatisme, son autorité, sa mégalomanie, il impose une atmosphère tyrannique à la MGM. Il n'apprécie guère Thalberg, mais a besoin de son sens artistique et de ce bon goût qui lui font si cruellement défaut. Louis B. Mayer possède cependant un vrai talent de directeur, ce qui lui permet de faire de la MGM une des maisons de production les plus prestigieuses.

HISTOIRE

GENRES ET FORMES

RÉALISATION

PRODUCTION/DIFFUSION

TECHNIQUES

LIRE UN FILM

Le cinéma français des années 30

Passage au parlant en 29, crise économique en 32-33, turbulences sociales et politiques de 34 à 39 : malgré ces crises, le cinéma français engendre de nombreux chefs-d'œuvre.

Le sonore, le parlant et le théâtre photographié

☐ L'industrie française s'est laissée distancer par les États-Unis et l'Allemagne, qui équipent la totalité des salles et des studios européens en matériel sonore. Les tout premiers films parlants sont des films muets agrémentés de musique et de quelques dialogues enregistrés sur disque. Il faut attendre *Sous les toits de Paris,* de René Clair (1930), pour goûter les subtilités du langage.

☐ Mais la technique est lourde. Les producteurs font appel à des dramaturges pour adapter des œuvres théâtrales, relancer d'anciens genres (le comique troupier) ou écrire d'abondants dialogues : le théâtre photographié menace le cinéma. Cependant, des hommes de théâtre contribuent à créer de nouvelles formes de récit cinématographique, tels Marcel Pagnol (*Jofroi,* 1933, tourné en plein air) et Sacha Guitry (*Le Roman d'un tricheur,* 1936, narré en voix *off*).

Les crises

☐ Les contre-coups de la crise économique entraînent des faillites retentissantes en 1932 et 1933. Les empires de Pathé et de Gaumont s'effondrent. C'est le règne des sociétés éphémères et des producteurs aventureux. Pourtant, des réalisateurs talentueux sont confirmés ou sont découverts : Jean Renoir, Julien Duvivier, Marcel Carné ou Jean Grémillon sont de ceux-là. Une pléiade d'acteurs nouveaux s'installe sur les écrans : Fernandel, Jean Gabin, Michel Simon, Raimu, Harry Baur, Gaby Morlay, Arletty, Viviane Romance, etc.

☐ La victoire du Front populaire en 1936 suscite des espoirs sociaux, reflétés dans *La Belle Équipe* (Duvivier) – mais la fin tragique y a été remplacée par un *happy end* – ou *Le Crime de M. Lange* (Renoir). L'approche de la guerre engendre, au milieu des comédies légères, des œuvres plus pessimistes, comme *La Règle du jeu* (Renoir, 1939).

Les genres et les types

☐ Le cinéma de genre est des plus populaires : films historiques, aventures exotiques et coloniales, comédies de mœurs (où triomphe Jules Berry), adaptations théâtrales.

☐ Des personnages archétypiques envahissent l'écran : le (beau) légionnaire, la garce, l'ouvrier malchanceux, le mauvais garçon, le banquier véreux. L'antisémitisme n'est pas rare.

☐ Mais de grands cinéastes balaient ces stéréotypes, tels Jean Vigo (*Zéro de conduite,* interdit par la censure en 1933, *L'Atalante,* 1933-34) ou Jean Renoir (*La Grande illusion,* 1937). Enfin, Marcel Carné et Jacques Prévert contribuent à fonder un genre qui connaîtra le succès et exercera une grande influence : le réalisme poétique (*Quai des brumes,* 1938).

Le légionnaire : P. Richard-Wilm et F. Rosay dans *Le Grand Jeu* de J. Feyder.

La garce : Viviane Romance.

Le paysan : Fernandel dans *Angèle* de M. Pagnol.

Le couple fatal J. Gabin et M. Morgan dans *Quai des brumes* de M. Carmé.

L'ouvrier J. Gabin dans *La Belle Équipe* de J. Duvivier.

L'affairiste véreux : J. Berry dans *Le Crime de Mr. Lange* de J. Renoir.

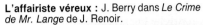

HISTOIRE

GENRES ET FORMES

RÉALISATION

PRODUCTION/DIFFUSION

TECHNIQUES

LIRE UN FILM

Le cinéma pendant la guerre

La guerre bouleverse le cinéma français, ses conséquences tuent le cinéma allemand. Les films allemands et américains expriment leur engagement, les films français nient la guerre.

Les effets de la guerre sur l'institution cinématographique

☐ La guerre ne touche pas directement Hollywood et ne remet pas en question le système des grands studios. Le conflit aura une influence principalement sur les films.

☐ C'est la France qui connaît les plus grands bouleversements institutionnels. Sous l'Occupation, on continue de tourner en zone libre, à Nice, aux studios de la Victorine, ou en zone occupée, pour la Continental Films, maison de production allemande qui finance des films français. En 1940, le Comité d'organisation des industries du cinéma prend des mesures plutôt avantageuses, telle l'avance à la production. Mais à ces mesures s'ajoute la censure du régime de Vichy, qui fait fuir un certain nombre de cinéastes et acteurs français à l'étranger.

☐ Le cinéma prospère néanmoins. Les films français ne pâtissent pas de la concurrence des films américains, interdits par les Allemands. La fréquentation des salles est importante.

☐ En Allemagne, ce n'est pas la guerre mais ses conséquences qui bouleversent l'industrie cinémagrahique. En 1945, l'UFA est anéantie, ses studios détruits. Le cinéma allemand est quasi inexistant. Il renaîtra à la fin de la décennie, avec, désormais, le cinéma ouest-allemand et le cinéma est-allemand.

Les films

☐ La production allemande durant la guerre se situe dans la parfaite continuité de celle des années 30 : cinéma de propagande antisémite et anticommuniste, films de guerre racontant des histoires de soldats héroïques, films tournés vers le glorieux passé de l'Allemagne.

☐ Aux États-Unis, les actualités, contrôlées par le gouvernement, ainsi que certains films ou séries produits par Hollywood, informent (ou désinforment) sur les raisons de l'entrée en guerre du pays et sur les conditions de combat en Europe, cherchant à motiver les soldats et à rassurer leurs familles. Du côté de la fiction, les États-Unis voient se multiplier les films d'espionnage, de propagande antinazie, les films de guerre proprement dits et, enfin, les films noirs, dont l'atmosphère sied bien au contexte.

☐ En revanche, on ne trouve pas trace de propagande dans les films français. Ils nient la guerre et le nazisme. Le cinéma doit donner une image enjouée de la France. Des films comme *La Règle du jeu* de Jean Renoir (1939) ou *Le Corbeau* de Henri-Georges Clouzot (1943) sans la moindre allusion directe à la situation de la France, s'avèrent trop sombres pour être bien accueillis par la censure. Le cinéma de l'Occupation est en majorité un cinéma de divertissement ct d'évasion. L'importance des recettes permet, en 1943-44, d'investir dans une superproduction : *Les Enfants du paradis*, réalisé par Marcel Carné en 1945.

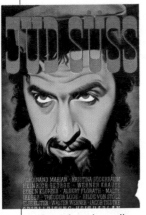

■ *Le Juif Süss, Veit Harlan, Allemagne, 1940*

Au XVIIIe siècle, un juif dupe l'innocent duc de Wurtemberg dont il devient le ministre des Finances. Les Juifs envahissent la région où ils s'adonnent aux crimes les plus odieux. Mais les habitants se révoltent, font condamner Süss qui finit brûlé vif.

Le Juif Süss reste le plus célèbre des films de propagande antisémite. Il est projeté dans toute l'Europe occupée, où les autorités officielles s'évertuent à diffuser leur idéologie. Il sort à Venise en septembre 1940 et rencontre un public nombreux.

■ *Le Corbeau, Henri-Georges Clouzot, France, 1943*

Dans une bourgade de province, des lettres anonymes signées « Le Corbeau » viennent semer le trouble. La méfiance, la délation règnent. Une infirmière, puis l'un des docteurs de l'hôpital sont soupçonnés par les habitants de la ville. Mais le coupable est le joyeux psychiatre (morphinomane devenu fou).

Le film de Clouzot dénonce indirectement l'esprit de délation sous l'Occupation. Il a été mal reçu par la Résistance qui l'a fait interdire à la Libération. Produit par la Continental, il aurait servi à donner une mauvaise image de la France en Allemagne.

■ *Casablanca, Michael Curtiz, États-Unis, 1943*

1942, Casablanca : un homme (Rick Blaine) brisé par l'amour, devenu cynique et individualiste, s'achemine progressivement, grâce à l'amour retrouvé, vers la Résistance.

Casablanca est à la croisée des genres hollywoodiens : film sur la guerre, mélodrame (couple mythique Bogart-Bergman) et film noir (héros seul à la fin ; présence de Bogart, Peter Lorre qui avaient joué dans *Le Faucon maltais*, etc.) La musique résume le film : l'hymne allemand est étouffé par la Marseillaise qui elle-même n'a pas le swing de la mélodie devenue célèbre de *As time goes by*. Rick Blaine incarne l'Amérique, contrainte de prendre position dans le conflit européen.

HISTOIRE

GENRES ET FORMES

RÉALISATION

PRODUCTION/DIFFUSION

TECHNIQUES

LIRE UN FILM

Le néoréalisme en Italie

À l'inverse du cinéma des « téléphones blancs » de l'époque fasciste, le néoréalisme s'évertue à montrer sans artifices ni effets spectaculaires la dure réalité de l'Italie d'après-guerre : misère, chômage, pauvreté, etc. Il s'estompe très vite mais aura permis l'ouverture sur un cinéma moderne.

Le contexte d'émergence du néoréalisme

☐ En 1944, l'Italie est ravagée et l'industrie cinématographique anéantie : il n'y a plus ni producteurs, ni moyens financiers ou techniques ; la pellicule est devenue une denrée rare ; les studios de Cinecittà accueillent les réfugiés. C'est dans ce contexte de pénurie mais aussi de grande liberté que va se reconstruire le cinéma italien, un nouveau cinéma italien.

☐ Les films de l'ère fasciste, assez peu axés sur la propagande, sont principalement des films d'évasion destinés à dresser le tableau idyllique et rassurant d'une Italie fasciste paisible, niant les conflits sociaux, les problèmes économiques et politiques. Ces films déconnectés du réel sont appelés des « téléphones blancs ».

☐ Le néoréalisme rompt radicalement avec ce cinéma désincarné. Influencé par le vérisme littéraire et par le cinéma vérité des maîtres russes, il se fait témoin du monde contemporain, de la guerre et de ses ravages. Après quelques films annonçant clairement, vers la fin de la guerre, un type nouveau de cinéma (*Ossessione*, Luchino Visconti, 1942), c'est *Rome, ville ouverte* de Roberto Rossellini qui, en 1945, inaugure le néoréalisme.

Les films néoréalistes

☐ Les films néoréalistes s'attardent peu sur l'élaboration du scénario ou du découpage. À l'intrigue fictionnelle construite, ils préfèrent la description brutale, directe, immédiate de sa toile de fond, sans artifices ni effets visuels, sans action spectaculaire, à la manière documentaire. Cette toile de fond : sous-développement économique, misère rurale, chômage urbain, conditions de vie des vieillards, des femmes, des enfants, etc. On filme en décors et en éclairages naturels, on pratique l'improvisation, le plan-séquence. Aux côtés d'acteurs professionnels chevronnés (Anna Magnani, Aldo Fabrizi), on fait jouer des non-professionnels (ouvriers, pêcheurs, etc.).

☐ Les films néoréalistes ne constituent pas pour autant un ensemble homogène. Aucun cinéaste (à l'exception du scénariste Zavattini) n'a d'ailleurs revendiqué son appartenance au mouvement. Le néoréalisme n'est pas une école. À chaque cinéaste son identité et son regard sur le monde : Rossellini plus intuitif, moins formaliste que Visconti ; De Santis, plus clairement engagé politiquement que De Sica l'humaniste sentimental (*Le Voleur de bicyclette*, 1948)…

Les influences du néoréalisme

Le néoréalisme n'est constitué que d'un petit nombre de films et ne représente que sept ou huit ans de l'histoire du cinéma italien. Il s'estompe dès le début des années 50, mais reste présent en filigrane. L'influence néoréaliste dépasse les frontières. Elle se fait sentir en France (Nouvelle Vague) et dans le monde. Le néoréalisme a ouvert la voie à la modernité.

■ Ses débuts au cinéma

Roberto Rossellini (1906-1977) fait ses débuts de cinéaste à l'école documentaire, à laquelle il restera très fidèle, y compris dans ses films de fiction. Puis, après avoir collaboré à un film de guerre dirigé par le fils de Mussolini et à quelques films de propagande fasciste, il passe étonnamment et sans transition à sa célèbre trilogie néoréaliste : *Rome, ville ouverte* (1945), *Païsa* (1946) et *Allemagne année zéro* (1948), trois films farouchement antifascistes et antinazis, trois films qui font de lui le père du néoréalisme.

■ Un langage cinématographique

Rome, ville ouverte est tourné dans d'incroyables conditions de pauvreté, avec le minimum de matériel. Il est impossible de visionner les rushes, mais cela importe peu puisque le manque de pellicule ne permet pas plusieurs prises. Le film est à l'image de ce qu'il montre et raconte : dépouillé de tout effet artistique, décoratif, ornemental. Rossellini ne reconstruit pas la réalité, il la capte directement et montre les choses

Roberto Rossellini au festival de Venise (1952).

Païsa

telles qu'elles sont, brutes. Mais cette manière de travailler traduit plus une conviction profonde, une conception du cinéma qu'une simple soumission aux contraintes extérieures. Il pratique l'esquisse, travaille à grands traits, tourne vite et de façon totalement intuitive. Il ne prémédite pas, ne découpe pas ses scènes en plans courts, mais préfère le plan-séquence qui met en relief l'espace et le contexte.

■ L'art de l'improvisation

Fellini, qui participa au tournage de *Païsa,* raconte comment Rossellini improvisa la fin du film. La séquence se passe dans les marais du Pô, les Allemands poussent les partisans dans l'eau. Rossellini, qui doit rentrer à Rome le soir même, tient à terminer la séquence mais il n'y a plus suffisamment de lumière pour tourner. Il a alors l'idée de traiter la scène sur le mode de la suggestion : elle est intégralement filmée en plan général, on ne distingue aucun détail, on entend seulement la chute dans l'eau de chaque partisan. La scène prend ainsi une force expressive exceptionnelle.

Rome, ville ouverte.

HISTOIRE

GENRES ET FORMES

RÉALISATION

PRODUCTION/DIFFUSION

TECHNIQUES

LIRE UN FILM

Modernités européennes à l'Ouest dans les années 60

Dans les années 60, s'impose en Europe un cinéma d'auteur qui s'inscrit dans le sillage des recherches de l'après-guerre (Italie, Suède), ou naît d'une révolte (Grande-Bretagne, Allemagne).

La notion de modernité

Aux quatre coins de l'Europe, se réalisent des films à travers lesquels des auteurs affirment leur personnalité, leur style, au détriment des règles classiques. Ce cinéma moderne ne forme pas une unité ; on constate néanmoins quelques caractéristiques générales : des récits en apparence moins structurés rompant avec les rythmes classiques : peu d'action, des moments de vide (Antonioni) ; un sens indécis ou caché, des valeurs complexes et abstraites, des fins souvent ouvertes et ambiguës (Bergman) ; des personnages flottants, tourmentés, sans désir d'action, souvent en quête d'identité (Antonioni) ; une absence de frontière entre le rêve, le fantasme, l'hallucination et le monde de la réalité (Bergman, Fellini, Pasolini) ; des citations, allusions, références au cinéma et aux autres arts (*8 1/2* de Fellini).

Une modernité annoncée

☐ En Italie, la modernité trouve ses racines dans le néoréalisme. Elle ne naît pas d'un divorce ou d'une révolte, mais d'une continuité, d'un dépassement. Fellini et Antonioni qui, en 1960, inaugurent l'ère moderne avec, respectivement *La Dolce Vita*, et *L'Avventura*, sont directement issus du néoréalisme. De 1960 à 1976, le cinéma italien fait preuve d'une exceptionnelle vitalité. Citons Zurlini, Rosi, Pasolini, Ferreri, Bertolucci...

☐ En Suède, la modernité est liée à la personnalité de Ingmar Bergman, qui fait ses débuts en 1945. Même si la jeune génération des années 60 (Bo Widerberg) règle ses comptes avec Bergman pour défendre un cinéma centré sur les problèmes sociaux et la vie quotidienne (sorte de néoréalisme suédois), il s'agit moins d'une rupture radicale que de la confrontation de deux modernités.

Une modernité de la révolte

☐ En Grande-Bretagne, dans les années 50, un groupe de jeunes réalisateurs (anciens critiques) se rallie au mouvement artistique des « Jeunes gens en colère » pour faire le procès de l'académisme britannique. Ces jeunes représentants du *Free Cinema* (Tony Richardson, Karel Reisz, etc.) tournent d'abord des courts métrages documentaires en 16 mm, puis passent, à la fin de la décennie, au long métrage de fiction. Ils prônent un cinéma réaliste s'intéressant aux marginaux et aux gens modestes.

☐ De même, mais plus tardivement (en 1965), naît en Allemagne un nouveau cinéma autour de personnalités comme Schlöndorff, Fassbinder, Herzog, Wenders. L'errance et la quête d'identité d'un Wim Wenders (né en 1945) a peu à voir avec le traitement de l'Histoire et la représentation de la sexualité d'un Fassbinder. Cependant, le peu de succès de ces films en Allemagne (excepté celui du *Tambour*, de Schlöndorff, en 1979) a un effet unificateur : treize réalisateurs se réunissent pour tourner, en octobre 1977, *L'Allemagne en automne*.

■ Une éducation stricte

Bergman naît en Suède en 1918 et reçoit, d'un père pasteur luthérien et d'une mère autoritaire, une éducation très rigide. Mais il se réfugie, avec sa sœur cadette, dans des univers fictionnels : ensemble, ils se procurent et visionnent des échantillons de pellicule, ils montent des spectacles de marionnettes, etc.

Cris et chuchotements

■ Une reconnaissance tardive

Durant quarante ans, Bergman mène de front une carrière d'homme de théâtre et de cinéaste. Ses films sont réputés hermétiques, énigmatiques, secrets. Pendant une dizaine d'années, il est dénigré par la critique. Ce n'est qu'en 1955 qu'il fait sa grande percée internationale avec *Sourires d'une nuit d'été*.

■ Ses grands thèmes

Bergman ramène souvent à son enfance les thèmes et interrogations qui peuplent ses films : Dieu, la religion et ses interdits (jusqu'aux *Communiants*, 1962, dans lequel il règle définitivement ses comptes avec la religion), le rôle de l'artiste dans la société (*Le Visage*, 1958 ; *Le Rite, L'Heure du loup*, 1967), la mort (*Le Septième Sceau*, 1956 ; *Cris et chuchotements*,

1972), la folie (*À travers le miroir*, 1961 ; *Persona*, 1966), le conflit au sein du couple (*La Honte*, 1967 ; *Scènes de la vie conjugale*, 1973), entre sœurs (*Le Silence*, 1963 ; *Cris et chuchotements*), entre mère et fille (*Sonate d'automne*, 1977), ou au sein même de l'individu (*Persona*).

■ La violence

Pour Bergman, le cinéma a pour fonction d'exprimer des actes violents dont la vue permet au spectateur d'accéder à une sorte de délivrance. Il filme des personnages isolés entre lesquels le langage est impuissant à établir un contact. La violence et le conflit tiennent lieu de contact.

■ L'art du portrait

Bergman écrit pour des acteurs précis et fait appel à leur intuition, leur sensualité et leur imagination. Au fil des années, il passe de la mise en scène du drame dans l'espace au portrait au sens pictural, d'où son goût pour les visages. Il a déclaré lors d'un entretien qu'il aurait aimé faire un long métrage constitué d'un seul gros plan de visage.

Persona

| HISTOIRE |
| GENRES ET FORMES |
| RÉALISATION |
| PRODUCTION/DIFFUSION |
| TECHNIQUES |
| LIRE UN FILM |

Modernités européennes à l'Est dans les années 60

Après des années de réalisme socialiste s'épanouit, aux quatre coins de l'Europe de l'Est, un cinéma libre aux contenus nouveaux, un cinéma qui s'impose à l'échelle internationale par sa modernité.

Après le réalisme socialiste, le « nouveau cinéma »

☐ Après la guerre, les pays de l'Est sont « stalinisés ». Les régimes en présence imposent un mode de pensée dogmatique, manichéen, qu'ils veulent retrouver dans le cinéma. La censure veille sur la production cinématographique, habile, dit-on, dans l'art d'influencer les masses et donc vouée à éduquer. Les films doivent diffuser l'idéologie officielle en glorifiant le socialisme, en présentant des héros positifs dans des films positifs, simples et au sens immédiat, dépourvus de toute forme d'ambiguïté. C'est le règne du réalisme socialiste. Le cinéma est au service de l'État et répond rarement à des exigences d'ordre artistique.

☐ De la mort de Staline, en 1953, résulte une formidable libéralisation à la fin des années 50 : le cinéma se réveille et s'affranchit de ses carcans, de ses formes narratives schématiques, pour donner naissance à des films aux structures inhabituelles, nouvelles, modernes, des films d'une extraordinaire variété, proposant une autre lecture de l'Histoire et une critique sociopolitique acerbe, des films dans lesquels l'individu en tant qu'entité psychologique complexe retrouve son droit de cité.

Cinématographies nationales

☐ Entre 1954 et 1961, la production cinématographique en URSS augmente et se diversifie grâce à la décentralisation. Désormais, chaque république construit sa cinématographie propre, donnant la parole à une nouvelle génération de cinéastes. Mais à partir de 1963-1964, le cinéma semble renouer avec un certain académisme, le régime se durcit et interdit à nouveau ou retarde la sortie de certains films (comme *Andreï Roublev* de Tarkovski, en 1969, pourtant loué partout à l'étranger).

☐ Le cinéma polonais, à peu près au même moment et jusqu'en 1968, connaît un essor remarquable. Avec une légère avance sur leurs homologues de la Nouvelle Vague française, les cinéastes polonais développent des langages et des styles, certes, différents, mais qui, tous, témoignent d'une recherche esthétique. Andrzej Wajda (né en 1926) apparaît comme la figure de proue du cinéma polonais avec, notamment, *Kanal* en 1957 et *Cendres et Diamant* en 1958. Son écriture cinématographique se caractérise par un travail particulier des cadrages et du rythme (mouvements de caméra, montage).

☐ La Pologne sera suivie, quelques années plus tard, par la Tchécoslovaquie et la Hongrie, où le renouveau se fera aux alentours de 1963-1964. La Hongrie verra naître les films de Miklos Jancsó (né en 1920), abstraits et complexes (1966 : *Les Sans-Espoir,* 1967 : *Rouges et Blancs,* 1968 : *Silence et Cri*), qui s'imposeront sur la scène internationale.

☐ La Yougoslavie, la Bulgarie, la Roumanie ont aussi leur « nouvelle vague ». Seule la RDA, à de rares exceptions près, semble résister à la modernité de l'air du temps.

LE NOUVEAU CINÉMA TCHÉCOSLOVAQUE

■ Le réveil du cinéma tchécoslovaque

Le cinéma tchécoslovaque a besoin de six ans (de 1956 à 1962) pour sortir de son relatif sommeil. Mais son réveil, en 1963, est explosif. La jeune génération de réalisateurs fraîchement sortis de l'école de cinéma, la Famu, suivie de près par ses aînés, propose, de 1963 à 1968, des films riches tant sur le plan de la recherche esthétique que sur celui des contenus : critique sociale et politique, nouvelle analyse du passé, dimension psychologique de l'individu.

■ Des comédies

Cette recherche se fait souvent dans le rire : *Le Premier Cri* (comédie de Jaromil Jires sur le souvenir, la rencontre amoureuse, le mariage, la famille, la naissance…), *L'As de pique* (comédie truculente de Milos Forman racontant les problèmes existentiels d'un jeune commis de 17 ans, aussi vantard que timide, tourné en 1963), ou encore *Un jour, un chat* (comédie satirique de Vojtech Jasny dans laquelle les habitants d'un village se retrouvent colorés en rouge, violet, jaune, gris selon qu'ils sont amoureux, hypocrites, volages ou voleurs, cela par le seul regard d'un chat un peu hors du commun) sortent tous les trois en 1963.

L'As de pique de Milos Forman.

■ Des drames

Le drame aussi trouve à s'exprimer, à travers, notamment, l'œuvre de Jan Kadar et Elmar Klos, ayant pour sujet la résistance antinazie (*La Mort s'appelle Engelchen*, 1963), les méthodes et injustices du stalinisme (*L'Accusé*, 1964), ou encore la répression antisémite sous l'Occupation (*Le Miroir aux alouettes*, 1965, qui obtient l'oscar du Meilleur Film étranger). Saluons enfin l'œuvre éclectique de la cinéaste Vera Chytilova qui donne, en 1963, *Quelque chose d'autre* et, en 1966, *Les Petites Marguerites.*

Les Petites Marguerites de Vera Chytilova.

En 1965, la « Nouvelle Vague » tchécoslovaque réalise son film-manifeste à sketches, *Les Petites Perles au fond de l'eau.*

■ La fin du mouvement

En 1968, les événements entravent la production. Le durcissement du régime n'aide pas le cinéma à s'épanouir, ce qui provoque vite une hémorragie des talents vers l'étranger : Forman, Kadar s'exilent aux États-Unis, Jasny va travailler en Allemagne et en Autriche. La Tchécoslovaquie replonge dans le manichéisme idéologique et dans un affligeant académisme.

HISTOIRE

GENRES ET FORMES

RÉALISATION

PRODUCTION/DIFFUSION

TECHNIQUES

LIRE UN FILM

La Nouvelle Vague française

La Nouvelle Vague bouleverse les modes de production et impose une nouvelle conception du cinéma. Bien que bref, ce mouvement aura un impact important dans d'autres pays.

Prélude à la Nouvelle Vague

☐ La Nouvelle Vague cinématographique française naît de la conjonction de plusieurs phénomènes. Le cinéma bouillonne un peu partout (on parle de Nouvelles Vagues au pluriel). Mais c'est en France que le mouvement est le plus spectaculaire.

☐ Au milieu des années 50, les réalisateurs des films dits de qualité sont ceux qui, depuis les années 30, travaillent dans le plus parfait esprit de continuité. À la fin de la décennie, ces « anciens » doivent s'incliner devant une nouvelle génération : celle des jeunes critiques des *Cahiers du cinéma* (revue née en 1951) – Chabrol, Truffaut, Godard, Rohmer, Rivette, qui, fraîchement armés de caméras, tournent respectivement : *Le Beau Serge, Les 400 coups, À bout de souffle, Le Signe du lion, Paris nous appartient* –, celle également des réalisateurs de courts métrages – Resnais, Demy, et d'autres, déjà connus du public – qui passent au long métrage pour donner notamment : *Hiroshima, mon amour, Les Parapluies de Cherbourg*, etc.

La Nouvelle Vague : une explosion de films et de réalisateurs

☐ Si la Nouvelle Vague a littéralement explosé (entre 1958 et 1962, 97 premiers films sortent sur les écrans français, ce qui constitue une véritable révolution), c'est que les producteurs se sont immédiatement intéressés à ces films bon marché et faciles à rentabiliser. Ces films réclament peu (Chabrol produit *Le Beau Serge* avec un héritage familial) et peuvent donc tout se permettre. Leur élan, leur impétuosité, leur désinvolture, leur liberté (on passe outre les demandes d'autorisation de tournage…) séduisent le public.

☐ Les progrès techniques (caméras légères, pellicule suffisamment sensible pour filmer à la lumière du jour, son synchrone de qualité, etc.) permettent de tourner « à la Rossellini », dans la rue ou en intérieurs, mais toujours en décors réels. Le réalisateur est souvent le scénariste-dialoguiste. L'équipe technique est allégée, on ne recherche pas la prouesse technique, les films ont volontiers un aspect amateur.

Déclin, bilan et prolongements

☐ Dès 1961 se profile le déclin. Le public se lasse, la production diminue. Parmi les cinéastes de la Nouvelle Vague, nombreux sont ceux qui changent de métier, d'autres s'exilent à la télévision. Ceux qui poursuivent leur carrière dans le cinéma choisissent soit de revenir à un certain classicisme (Truffaut), soit au contraire de faire un pas supplémentaire vers la provocation et la recherche expérimentale (Godard).

☐ La Nouvelle Vague, sans avoir incarné à elle seule le renouvellement du cinéma français, et ne comptant pas, loin de là, que des chefs-d'œuvre, a néanmoins élargi l'horizon cinématographique en remettant en question l'académisme. Elle a eu une influence considérable hors des frontières françaises, dans les pays de l'Est notamment.

■ Le scénario

Après avoir volé une voiture à Marseille, Michel Poicard (Jean-Paul Belmondo), *en route pour Paris, tue un policier. À Paris, il est recherché par la police. Il cherche à fuir mais veut d'abord récupérer une somme d'argent et persuader Patricia* (Jean Seberg), *une jeune Américaine dont il est amoureux, de l'accompagner. Au moment où il obtient finalement l'argent, Patricia le dénonce et il est abattu dans la rue.*

Jean Seberg et Jean-Paul Belmondo.

Avec *À bout de souffle*, Jean-Luc Godard réalise en 1960 l'antithèse du film policier classique que ce scénario aurait pourtant pu susciter : aucune action héroïque, aucune confrontation, aucun suspense, mais, au contraire, des personnages en attente. Le film banalise ce qui, habituellement, est dramatisé. La cohérence dramaturgique classique est abandonnée : les scènes ne s'enchaînent pas suivant une logique causale. Les conversations entre Michel et Patricia ne débouchent jamais sur une action ou une prise de décision. Elles sont d'une certaine manière gratuites, parfois inutiles au sens classique.

■ Les personnages

À bout de souffle met en scène des personnages simples, non des héros.
Michel Poicard est un banal voleur de voitures, pas très beau, sympathique et attachant, mais en aucun cas admirable ou héroïque. À la fin, il renonce à la fuite, à l'action, presque par paresse.

■ Les dialogues

Ils sont naturels, calqués sur la conversation de tous les jours, parfois improvisés :
« Laissez-moi tranquille, je réfléchis.
– À quoi ?
– Le drame, c'est que je ne sais même pas.
– Moi, je sais.
– Non, personne ne sait.
– Tu penses à hier soir, mais si.
– Hier soir, j'étais furieuse, maintenant je ne sais pas, ça m'est égal. Non, je pense à rien. Je voudrais penser à quelque chose, mais je n'arrive pas.
– Bon, moi je suis fatigué, très fatigué et je me recouche. Pourquoi tu me regardes ?
– Parce que je te regarde… »

■ Le traitement filmique

Le film ne se soucie guère des transitions, des ponctuations (fondus au noir ou enchaînés), des raccords, et boude les scènes classiques tournées en champ-contrechamp. En revanche, il renoue avec la fermeture et l'ouverture à l'iris, passées de mode depuis l'avènement du parlant.

HISTOIRE
GENRES ET FORMES
RÉALISATION
PRODUCTION/DIFFUSION
TECHNIQUES
LIRE UN FILM

Le cinéma américain depuis 1960

Depuis 1960, la fragilité du système des studios encourage, d'une part, un cinéma différent, hors système, et, d'autre part, un cinéma commercial fondé sur l'action, les effets spéciaux et les stars.

Ce qu'il reste des grands studios

☐ À Hollywood, le bilan des années 60 est peu réjouissant : baisse considérable de la fréquentation, compression de personnel dans les studios, vente des films à la télévision, fusions, etc. Les studios, au bord de la faillite, sont désormais aux mains des grands trusts. Aujourd'hui, les producteurs sont des financiers qui n'ont plus le sens artistique d'un David O. Selznick ou d'un Irving Thalberg.

☐ Cependant, le cinéma contemporain a gardé intact l'immuable star-system. Les vedettes prennent aujourd'hui les traits de Robert De Niro, Al Pacino, Harrison Ford, Tom Cruise, Meryl Streep, Sharon Stone, Woopy Goldberg, Patricia Arquette, etc. Elles sont toujours, plus que le réalisateur, garantes de succès : un film comme *Heat* (1995), par exemple, repose sur la confrontation des deux acteurs vedettes, De Niro et Pacino, plus que sur celle des personnages qu'ils incarnent.

Des réalisateurs influencés par le cinéma européen

☐ Dès les années 60, certains réalisateurs (Arthur Penn, Sam Peckinpah…), influencés par Bergman, Fellini, Godard, rejettent les schémas classiques hollywoodiens. Cette influence européenne se poursuit dans les années 70 chez Francis F. Coppola, lui-même père spirituel de toute une génération de jeunes réalisateurs, ou chez les cinéastes new-yorkais (Martin Scorsese, Woody Allen).

☐ La crise morale et politique de l'Amérique suscite un ensemble de films centrés sur le malaise dans les grandes villes (violence, délinquance, criminalité, corruption, mafia, drogue) et sur la guerre du Viêtnam. Depuis la suppression de la censure, la violence envahit les écrans.

Un nouveau cinéma américain

☐ Parallèlement à ce cinéma tourmenté s'impose, depuis les années 70, un cinéma de divertissement pur qui attire à nouveau le public dans les salles et redresse la situation économique. Sur le plan technologique, il renouvelle la conception de l'image et bénéficie de nouvelles techniques d'enregistrement et de reproduction du son.

☐ Destinés à un public jeune désormais éduqué par la télévision, ces films reposent sur l'action, le suspense, le spectacle et quelques bons sentiments. Leur qualité est inégale : il arrive que l'on passe commande à des personnalités comme Scorsese ou De Palma, mais la plupart de ces films sont réalisés par des spécialistes du genre, plus ou moins talentueux.

☐ Les producteurs affectionnent les séries (si un film marche, on en tourne la suite), les *remakes*, y compris de séries télévisées (*Les Incorruptibles*, 1987 ; *Mission : impossible*, 1996). On en vient, à l'aube du XXIe siècle, à la technique du *lifting*, qui consiste à restaurer la copie d'un film, ajouter quelques effets spéciaux pour faire, à peu de frais, un film nouveau (*La Guerre des étoiles*, nouvelle version, sortie en 1997).

GEORGE LUCAS ET STEVEN SPIELBERG

■ Leurs parcours dans le contexte hollywoodien

Après avoir appris tous les métiers du cinéma, George Lucas (né en 1944) et Steven Spielberg (né en 1947) font leurs classes en réalisant des téléfilms pour les *Major Companies*. Ils passent ensuite au grand écran et renouent avec un certain type de superproduction dans lequel le spectaculaire est au service d'histoires simples et naïves. Ils développent leurs recherches dans les effets spéciaux et imposent à Hollywood une nouvelle esthétique de l'image qui influencera tout le cinéma. Ce sont eux qui sauvent *in extremis* Hollywood de la faillite en pratiquant un cinéma adapté aux goûts des spectateurs.

■ Leurs principaux films

En 1977, Lucas réalise *La Guerre des étoiles*. Premier épisode d'une saga, le film emprunte au conte merveilleux sa structure narrative, puise ses thèmes dans la mythologie et dans la chanson de geste. Son immense succès tient en grande partie à la qualité des effets spéciaux et à la beauté des maquettes.

Lucas est le producteur exécutif et le scénariste des deux suites : *L'Empire contre-attaque* (1980) et *Le Retour du Jedi* (1983). Spielberg réalise *Les Dents de la mer* (1975) et *E.T. l'extraterrrestre* (1982).

E.T.

Ce film mêle l'univers des extraterrestres (ici pacifiques) et celui des enfants. Les effets spéciaux sont nombreux et particulièrement réussis.

Les deux amis collaborent au tryptique : *Les Aventuriers de l'arche perdue* (1980), *Indiana Jones et le temple maudit* (1984) et *Indiana Jones et la dernière croisade* (1989), Lucas en tant que producteur, Spielberg en tant que réalisateur.

La Guerre des étoiles, version 1997 avec incrustations numériques.

HISTOIRE
GENRES ET FORMES
RÉALISATION
PRODUCTION/DIFFUSION
TECHNIQUES
LIRE UN FILM

Les Indépendants américains

Le terme d'indépendants désigne des producteurs, des réalisateurs et des acteurs qui travaillent en dehors des normes hollywoodiennes.

United Artists (Artistes Associés)

☐ Dès 1919, Ch. Chaplin, D. Fairbanks, D.W. Griffith et M. Pickford fondent la United Artists afin d'assurer la distribution des films réalisés par des créateurs réfractaires aux diktats esthétiques et idéologiques d'Hollywood. Des producteurs comme S. Goldwyn (1882-1974) ou D.O. Selznick (1902-1965) avec *Rebecca* contribuent au prestige de la firme.

☐ Néanmoins, nombre de réalisateurs à la trop forte personnalité eurent à combattre pour tenter, parfois en vain, d'imposer leurs œuvres. Ainsi d'Eric Von Stroheim (*Les Rapaces*, 1925, qui fut gravement mutilé) ou, plus tard, d'Orson Welles (à partir de *La Splendeur des Amberson*, en 1942).

Les réalisateurs et les acteurs-producteurs

☐ L'un des moyens d'œuvrer avec plus de liberté à Hollywood est de devenir producteur, ce à quoi s'emploieront Howard Hawks (1896-1977), dès les années 30, ou Alfred Hitchcock, dès 1948, afin d'obtenir le plein contrôle sur leurs films. Dans les années 50, certaines stars accèdent aussi à la production : Burt Lancaster, Kirk Douglas, John Wayne. Cependant des petits producteurs, comme Roger Corman (né en 1926), élaborent, avec des moyens très modestes, des films érotiques, de science-fiction ou d'horreur (adaptations d'Edgar Poe, avec Vincent Price) et donnent leur chance à de jeunes réalisateurs (Coppola, Scorsese).

☐ Hollywood ne se fait pas faute de récupérer les indépendants talentueux, tels Elia Kazan, Richard Brooks ou Sidney Pollack. Mais ils sont toujours soupçonnés de déviance soit sur le plan idéologique, par leurs prises de position politique (notamment au moment du maccarthysme) ou par leurs audaces morales (le code Hays, qui régissait les bonnes mœurs à l'écran, reste en vigueur jusqu'en 1966), soit sur le plan esthétique, du fait de leur résistance au cinéma-spectacle.

Le cinéma new-yorkais

Les cinéastes new-yorkais, particulièrement prolifiques à partir des années 50, se distinguent précisément par le rejet des normes spectaculaires hollywoodiennes. Ils sont souvent influencés par les films européens, pratiquent un cinéma volontiers personnel et quelque peu expérimental, avec des budgets réduits. John Cassavetes, Shirley Clarke (côté documentaire ou reportage) et Woody Allen sont parmi les plus représentatifs. Mais des auteurs comme Sidney Lumet (*Douze hommes en colère*, 1957 ; *Serpico*, 1973) ou Martin Scorsese (*Taxi Driver*, 1976), même s'ils ont réalisé des films plus coûteux et collaboré avec Hollywood, conservent un esprit et une écriture marqués par leur origine et leurs débuts new-yorkais. L'indépendance est un esprit qui traverse aussi bien un Gus Van Saint (*My Own Private Idaho*) qu'un Clint Eastwood (*Impitoyable*, 1992) et ne cesse de vivifier le cinéma américain.

La carrière et les films de ces deux auteurs aux tempéraments bien différents sont étroitement liés à New York.

■ John Cassavetes

D'origine grecque, John Cassavetes (1929-1989) a été acteur pour le cinéma et la télévision, ce qui lui a souvent permis de financer ses propres films. Il épouse Gena Rowlands en 1954 et réunit les fonds pour son premier film, *Shadows* (1959), en lançant un appel à la radio. Il s'agit d'une œuvre tournée en 16 mm, en grande partie improvisée, et traitant du racisme et de la vie nocturne new-yorkaise. Son succès attire Hollywood, où Cassavetes travaille un temps (*Un enfant attend*, 1963) avant de reprendre son indépendance et tourner, avec ses amis et en toute liberté, des œuvres très personnelles : *Faces* (1968), *Une femme sous influence* (1975), *Opening Night* (1978).

■ Woody Allen

Né en 1935 dans une famille juive new-yorkaise, Woody Allen écrit et vend des gags avant de monter sur scène en tant que comique soliste. Il élabore des sketches pour la télévision et réalise son premier film (*Prends l'oseille et tire-toi*) en 1969. Il inaugure sa veine autobiographique avec *Annie Hall*, en compagnie de Diane Keaton, en 1975 où il met au point un personnage d'intellectuel juif quelque peu torturé. Il s'insère dans un système de production lui permettant de tourner librement des films au budget raisonnable. Très influencé par Bergman, Fellini et... Tchekhov, il alterne comédies et drames sans cesser d'observer la société new-yorkaise et de s'inspirer de sa propre existence : *Hannah et ses sœurs* (1986), *Crimes et Délits* (1989), *Maudite Aphrodite* (1995), *Harry dans tous ses états* (1997).

John Cassavetes et Gena Rowlands dans *Love Streams* (1984).

Woody Allen et Diane Keaton dans *Manhattan* (1979).

HISTOIRE

GENRES ET FORMES

RÉALISATION

PRODUCTION/DIFFUSION

TECHNIQUES

LIRE UN FILM

Le cinéma français contemporain

La vitalité du cinéma français a, ces dix dernières années, résisté aux attaques de la conjoncture. L'aide de l'État y est pour beaucoup, ainsi que le renouvellement des talents.

Classicismes et modernités

☐ Les auteurs issus de la Nouvelle Vague des années 60 confirment leur talent et leurs capacités créatrices, qu'il s'agisse de Godard (*Mozart for ever*, 1996), Chabrol (*La Cérémonie*, 1995), Rohmer (*Conte d'été*, 1996), Resnais (*Smoking-No Smoking*, 1993), Rivette (*Jeanne la Pucelle*, 1994) ou Pialat (*Van Gogh*, 1991).

☐ Ce courant « moderne », bien épaulé par André Téchiné (*Les Voleurs*, 1995), est accompagné par de solides représentants du cinéma classique de qualité, tels Sautet (*Nelly et M. Arnaud*, 1995) ou Tavernier (*L'Appât*, 1995). Mais ces deux courants sont vivifiés par des auteurs plus jeunes. Côté modernes : les adeptes d'un cinéma personnel, formellement aventureux (A. Despleschin, *La Sentinelle*, 1992). Côté classiques : les amoureux du scénario bien composé et du recours à des comédiens de renom (Jacques Audiard).

☐ Mais la postmodernité s'est manifestée dans des œuvres cultivant le visuel et le sonore en référence aux nouvelles images (clips, jeux vidéos, publicité) et au cinéma américain : Besson (*Léon*, 1994) et le tandem Caro-Jeunet (*Delicatessen*).

☐ Certains genres éprouvés se pérennisent sans grande évolution, comme l'adaptation littéraire de prestige (*Cyrano de Bergerac*, Jean-Paul Rappeneau, 1990). D'autres connaissent une sensible évolution, comme la comédie, sous l'influence d'auteurs et de comédiens venus du café-théâtre : Michel Blanc, Gérard Jugnot, Josiane Balasko, Christian Clavier (*Les Visiteurs*, Poiré, 1993).

Nouvelles tendances, nouvelles sensibilités ?

☐ Les critiques, les médias tentent de circonscrire des mouvements, des tendances significatives. C'est ainsi qu'on a pu évoquer les « films de femmes », les films « beurs » avec Medhi Charef, les « banlieue-films » (*La Haine*, Mathieu Kassowitz, 1995), les « postmodernes » avec Besson, Beineix, Carax. Les grosses productions européennes prestigieuses, tentant de concurrencer le cinéma américain, côtoient les films à petit budget.

☐ Une pléiade de jeunes acteurs croise les valeurs sûres (Gérard Depardieu, Catherine Deneuve, Daniel Auteuil, Michel Serrault). Les vedettes de la télévision tentent une percée (Les Nuls, Les Inconnus, Alain Chabat).

☐ Le cinéma français contemporain, s'il ne répugne pas aux grandes fresques historiques ou littéraires (*Le Hussard sur le toit*, Rappeneau, 1995, *Capitaine Conan*, Tavernier, 1996) et à la comédie populaire, demeure, comme hier, attaché aux chroniques intimistes ou sociales, à l'observation de la vie comme elle va ou ne va pas. Il est donc traversé par les questions actuelles, divorces et séparations, chômage, identités culturelles, perte des liens sociaux. Mais, réticent au film à thèse, très éloigné, d'une manière générale, du film militant des années 70, il est essentiellement descriptif, analytique, souvent poétique, même s'il s'agit d'une poésie plutôt sombre.

■ Un peu d'histoire

Les femmes occupent le plus souvent des postes subalternes : ouvrières (pour colorier les pellicules au pochoir, par exemple), monteuses, scriptes. Alice Guy, secrétaire de Léon Gaumont, fut cependant la première cinéaste professionnelle du monde (*La Fée aux choux*, 1898, fut suivie de nombreux films). Il faut attendre les années 20, avec Germaine Dulac, écrivain, scénariste, cinéaste (*La Fête espagnole*, 1919), puis les années 50, avec Jacqueline Audry (plus de quinze films, dont plusieurs adaptations de Colette : *Gigi, Mitsou*), pour voir une femme faire carrière dans le cinéma français, en dehors des comédiennes.

Les années 50-60 voient quelques femmes énergiques imposer leur talent. Elles sont généralement issues d'un autre domaine artistique qui les a déjà consacrées. C'est le cas pour Agnès Varda, photographe (*La Pointe courte*, 1954 ; *Cléo de 5 à 7*, 1962) et Marguerite Duras, écrivain (scénario de *Hiroshima mon amour*, 1959 ; *La Musica*, 1966).

■ L'après-68

Une quinzaine de femmes accèdent à la réalisation entre 1968 et 1975, d'autres à la production. Ce sont souvent des enfants de la balle, parentes ou compagnes de professionnels du cinéma, telles Coline Serreau, Nina Companeez, Nadine Trintignant, Mag Bodard, Véra Belmont.

Des femmes scénaristes vont également jouer un rôle important auprès de réalisateurs de renom : Suzanne Schiffmann avec François Truffaut, Arlette Langmann avec Maurice Pialat, Danielle Thompson avec Gérard Oury. La profession offre, non sans difficultés, des postes de prestige aux femmes.

■ Aujourd'hui : un cinéma féminin ?

Comédiennes (Christine Pascal, Nicole Garcia), diplômées de l'Idhec ou de la Femis, parfois formées sur le tas, de nombreuses femmes réalisent des films. Claire Denis, Tonie Marshall, Pascale Ferran, Catherine Breillat, Noémie Lvovski, Sandrine Veysset ne sont que quelques noms parmi les dizaines d'autres. Elles n'accèdent pas aux gros budgets et pratiquent un cinéma intimiste.

Peut-on parler d'une écriture ou d'une sensibilité spécifiquement féminine ? Certes, les « films de femmes » traitent de questions contemporaines : crise du couple et de la famille, désarroi de la jeunesse, redéfinition des rôles sociaux. Mais ceci les rattache, en fait, à la modernité et à ses exigences esthétiques. Les cinéastes françaises affirment aujourd'hui la valeur et le rôle du cinéma d'auteur face à la production courante.

Y aura-t-il de la neige à Noël ?
de Sandrine Veysset en 1996.

HISTOIRE

GENRES ET FORMES

RÉALISATION

PRODUCTION/DIFFUSION

TECHNIQUES

LIRE UN FILM

Humour et cinéma en Angleterre

> **Un humour bien spécifique, fait d'ironie distante, de non-sens pince-sans-rire, d'irrespect froid, parfois de provocantes loufoqueries, traverse tout le cinéma anglais, en dépit de toutes les crises.**

Un réalisateur : John Mackendrick

D'abord scénariste, J. Mackendrick (né en 1912) entre aux studios Ealing et réalise *Whisky à gogo* en 1949, devenu immédiatement un classique de l'humour anglais. En 1951, *L'Homme au complet blanc*, avec Alec Guinness, parfait une forme fondée sur l'exploitation logique d'une situation absurde ou « non sensique » (ici, l'invention d'un tissu inusable). En 1955, *Tueurs de dames*, toujours avec Alec Guinness, remporte un énorme succès. Mackendrick poursuivra sa carrière aux États-Unis, s'illustrant dans d'autres genres, souvent avec brio (*Un cyclone à la Jamaïque*, 1965).

Deux acteurs : Sir Alec Guinness et Peter Sellers

☐ Alec Guinness (né en 1914) interprète d'abord le répertoire classique au théâtre, notamment à l'Old Vic. Son rôle de Fagin dans l'*Oliver Twist* de David Lean (1948) lui donne le succès. Passionné de maquillage, il joue huit rôles différents dans *Noblesse Oblige* (1949). Son travail avec J. Mackendrick confirme sa notoriété internationale de grand acteur comique. Mais à partir de 1954, il change de registre pour *Le Pont de la rivière Kwaï* (Lean) et enchaîne ensuite les rôles de composition, de *Lawrence d'Arabie* (Lean, 1962) à *La Guerre des étoiles* (Lucas, 1977).

☐ Peter Sellers (1925-1980), enfant de la balle, s'impose dans un rôle de truand de *Tueurs de dames*. Il devient rapidement une vedette comique avant d'interpréter des rôles plus complexes dans *Lolita* (Kubrick, 1962) et *Docteur Folamour* (Kubrick, 1964) où il tient trois rôles de composition donnant libre cours à son goût du maquillage et de la gesticulation. Aux États-Unis, il crée, avec la complicité de Blake Edwards, le personnage de l'inspecteur Clouseau dans la série des Panthères Roses, de *La Panthère rose* (1964) à *La Malédiction de la Panthère rose* (1978).

Une troupe : les Monty Python

☐ Le groupe des Monty Python, formé en 1969, est composé de Graham Chapman, John Cleese, Terry Jones, Eric Idle, Michael Palin et Terry Gilliam (le seul américain). Ils écrivent, jouent et réalisent des sketches pour la télévision anglaise, bouleversant les habitudes de l'époque par leur sens de la provocation, leur mauvais goût savamment calculé.

☐ Au cinéma ils exercent pleinement leur art de la parodie et du non-sens : *Monty Python, sacré Graal,* en 1974 ; *Monty Python, la vie de Brian* en 1979, où ils « s'attaquent » successivement aux chevaliers de la Table Ronde et à Jésus- Christ… Terry Gilliam devient ensuite un réalisateur indépendant du groupe (*Brazil*, 1985, film de science-fiction kafkaïen). John Cleese et Michael Palin ont fait équipe, notamment pour *Un poisson nommé Wanda* (1994).

Ces deux cinéastes représentent deux tendances majeures et opposées du cinéma britannique : David Lean, le romanesque, le goût des adaptations littéraires prestigieuses et des superproductions à vedettes internationales ; Ken Loach, le sens du documentaire, le souci du réel contemporain, l'engagement idéologique. Un cinéma-spectacle face à un cinéma de critique sociale.

Lawrence d'Arabie

■ David Lean, le romanesque

David Lean (1908-1991), d'abord assistant, monteur, collaborateur du dramaturge Noël Coward, remporte son premier grand succès avec *Brève rencontre* (1945), émouvant drame amoureux, impeccablement réalisé.

Il filme des comédies et des drames, avec des comédiens tels que Charles Laughton, Rex Harrison ou Alec Guiness. *Oliver Twist*, d'après Dickens, est un modèle d'adaptation classique (1948).

À partir du *Pont de la rivière Kwaï* (1957), énorme succès international, il se spécialise dans l'imagerie romanesque : *Docteur Jivago* (1965), d'après l'ouvrage de Boris Pasternak.

Certaines de ses œuvres, en dépit de leur faste, savent transmettre le mystère et l'étrangeté de leurs personnages : *Lawrence d'Arabie* (1962), d'après T.E. Lawrence ; *La Route des Indes* (1984), d'après E.M. Forster.

■ Ken Loach, le social

Ken Loach, né en 1936, après avoir pratiqué la mise en scène théâtrale, poursuit une importante carrière à la télévision. Avec le producteur Tony Garnett, il réalise des documentaires et des « docudrama » pour la BBC. Puis il transpose au grand écran les techniques et le style du cinéma direct, dans la tradition du documentaire à la Grierson (1898-1972).

Kes, en 1969, puis *Family Life*, en 1971, le font connaître : il y dénonce les contraintes nocives que l'école ou la famille font peser sur l'adolescence. Avec la collaboration du scénariste Jim Allen, il s'attache à une description critique de la précarité économique et du chômage. Il réalise également *Regards et Sourires* (1981), *Raining Stones* (1993).

Raining Stones

En 1995, *Land and Freedom* inaugure une nouvelle veine, plus historique, de l'inspiration de Loach : le film retrace l'engagement d'un jeune communiste anglais dans la guerre d'Espagne en 1936.

HISTOIRE

GENRES ET FORMES

RÉALISATION

PRODUCTION/DIFFUSION

TECHNIQUES

LIRE UN FILM

Les cinémas d'Asie

Peu ou mal connus du public français, les cinémas d'Asie représentent une production pourtant considérable. Les festivals internationaux, l'obstination de certains cinéphiles et quelques effets de mode permettent d'avoir un aperçu de la diversité et de la qualité des films asiatiques.

L'Inde

Depuis la première représentation du cinématographe Lumière, en 1896, à Bombay, le tournage du premier film indien en 1899, du premier film de fiction en 1913, la production indienne s'est considérablement développée. Des années 30 aux années 90, ce sont sept cents à huit cents films par an qui se tournent dans les trois principaux centres, Bombay, Calcutta et Madras. Le cinéma reste encore une distraction populaire peu coûteuse : des histoires inspirées de textes mythologiques (le *Ramayana* ou le *Mahabharata*), des films musicaux, dont les vedettes sont l'objet d'un véritable culte. Certains réalisateurs traitent de questions plus graves : décolonisation et modernisation, conflits de castes, condition de la femme. Guru Dutt (*Fleurs de papier*), Satyajit Ray, Ritwik Ghatak (*L'Étoile cachée*), Mrinal Sen (*À la recherche de la famine*) ne craignent pas d'évoquer, dès les années 50, la misère et la corruption, et obtiennent une audience internationale.

Le Japon

Le premier studio de tournage est construit à Tokyo en 1908. Sous l'influence du théâtre *kabuki*, tous les rôles sont tenus par des hommes, les vedettes féminines n'apparaissant que vers 1919-20. La véritable vedette du cinéma muet japonais est le *benshi*, le bonimenteur : il attire la foule analphabète : sa célébrité a freiné les débuts du parlant. Après le tremblement de terre de 1923, les studios émigrent à Kyoto. Kenji Mizoguchi, Yasujizo Ozu puis Mikio Naruse y débutent. Akira Kurosawa tourne *La Légende du grand judo* en 1943. Le cinéma japonais doit faire face à la concurrence américaine ainsi qu'à un strict contrôle gouvernemental, dès 1937. Après la guerre, les studios produisent des films documentaires, historiques, de monstres (*Godzilla*), de sabre, de gangsters, des «romans-pornos». Durant les années 50, il connaît la gloire (*Rashomon* en 1950, *Les Portes de l'enfer* en 1954). Le déclin économique des années 60 n'empêche pas l'éclosion de jeunes talents tels que Nagisa Oshima ou Shôkei Imamura.

La Chine

Le premier film national est produit à Pékin en 1905, mais le cinéma chinois reste sous domination étrangère. Plus tard, malgré l'occupation et la répression japonaises, un cinéma populaire d'inspiration sociale se fait jour. Des films communistes (actualités, documentaires) sont diffusés de 1938 à 1947. La République populaire de Chine place, en 1949, le cinéma sous tutelle gouvernementale, au service de la Révolution et assure la production de films éducatifs réalisés dans l'anonymat. Depuis 1976, un autre cinéma chinois se fait connaître en Occident, au travers des œuvres d'un Chen Kaige (*Adieu ma concubine*, 1992) ou d'un Zhang Yimou (*Qiu Ju, une femme chinoise*, 1992).

DEUX GRANDS CINÉASTES D'ASIE

■ Kenji Mizoguchi : le Japon des féodalités

Fils de charpentier, ayant vu sa sœur vendue comme geisha, Kenji Mizoguchi (1898-1956) est toujours resté sensible aux réalités sociales et particulièrement au sort que la société japonaise réservait aux femmes. Des *Sœurs de Gion* (1936) à *La Rue de la honte* (1956), il a traité du destin des prostituées. Mais Mizoguchi est aussi un admirable styliste, un maître du plan-séquence, un grand directeur d'actrices (*La Vie de Oharu, femme galante*, 1952). Sa formation de peintre et sa culture lui ont permis de concevoir de superbes adaptations littéraires (*Les Contes de la lune vague après la pluie*, 1953) et de grands films historiques (*Le Héros sacrilège*, 1955).

Deux scènes de *La Vie d'Oharu, femme galante*.

■ Satyajit Ray : l'Inde, entre tradition et modernité

Cinéaste bengali, Satyajit Ray (1921-1992) était aussi écrivain, scénariste, musicien. Primé à Cannes en 1956 pour *Pather Panchali*, premier film de la trilogie du *Monde d'Apu*, il reste marginal en Inde. *Le Salon de musique* (1958) assure sa notoriété en Occident.

Artiste exigeant, raffiné, cultivé, il observe les changements sociaux, l'évolution des mentalités, les conflits familiaux. Il est particulièrement sensible au rôle des femmes et à la place de l'Art dans la société (*Charulata*, 1964). Il a plusieurs fois adapté Rabindranāth Tagore (*La Maison et le Monde*, 1984).

Deux scènes de *Charulata*.

HISTOIRE

GENRES ET FORMES

RÉALISATION

PRODUCTION/DIFFUSION

TECHNIQUES

LIRE UN FILM

Le burlesque

Le comique burlesque est fondé sur l'absurde, la provocation et une certaine violence. Il montre un acteur-personnage en perpétuel conflit avec ce qui l'entoure. Il est composé d'une suite rapide et rythmée de gags indépendants les uns des autres, parfois improvisés ou puisés dans un répertoire.

Le style et le ton

☐ Le burlesque fait rire grâce à un comique de l'absurde et de l'irrationnel. Des événements extraordinaires ne cessent de faire irruption sans raison dans le quotidien. La cohérence n'a jamais le temps de s'installer.

☐ Le burlesque s'appelle aussi *slapstick*, ce qui signifie littéralement « coup de bâton ». Dénué de logique psychologique, le gag repose sur un comique physique et violent. Il montre des chutes, des bagarres, des poursuites, des chocs, des effondrements de décors, etc. Les corps comme les objets sont brutalisés.

☐ Le ton général est celui de la provocation et de la caricature. Le *slapstick* maltraite les valeurs morales qui fondent l'institution : la réussite sociale, le mariage, le travail. Jacques Tati y excelle, notamment dans *Mon oncle* (1958).

Le traitement

☐ Le burlesque échappe aux règles de la narration classique. Il consiste en une suite de gags qui jouissent chacun d'une parfaite autonomie et qui ne s'inscrivent pas dans une stratégie narrative globale. En particulier dans les courts métrages, l'histoire constitue un prétexte servant à faire la liaison entre les gags.

☐ Le personnage burlesque est livré à lui-même au sein d'un environnement avec lequel il entre en conflit. L'usage abondant du plan large met en valeur le décor et les objets. L'espace est toujours hostile et menaçant.

☐ L'un des fondements du comique burlesque réside dans le rythme. Celui-ci résulte du *timing* dans le jeu de l'acteur (le bon geste au bon moment) et du montage. Les courts métrages sont particulièrement frénétiques (parfois constitués d'un seul gag). Les longs métrages, au contraire, installent nécessairement des temps de pause. Ils font alterner accélérations et moments de répit. Le rythme y est plus mesuré.

La fabrication

☐ Il existe un véritable répertoire de gags dans lequel réalisateurs et acteurs puisent toutes sortes d'idées comiques. Il arrive fréquemment qu'un gag passe d'un film à un autre.

☐ Le film burlesque repose pour une large part sur la personnalité de l'acteur qui impose un style, un profil de personnage et constitue la vedette. Lorsqu'il n'est pas lui-même le metteur en scène, l'acteur participe à l'élaboration du scénario et à la conception de la mise en scène. Le *slapstick* est souvent une œuvre collective.

☐ Le burlesque trouve son origine dans la tradition théâtrale de la *commedia dell'arte* et du music-hall, tradition à laquelle il emprunte la pratique de l'improvisation apportant une fraîcheur, une spontanéité et une énergie particulières. Les longs métrages, plus construits et pensés, accordent moins de place à l'improvisation et privilégient le réglage et la précision.

CHARLIE CHAPLIN ET BUSTER KEATON

■ Le burlesque porté au rang des genres nobles

Avec Chaplin et Keaton, finis les *slapsticks* réalisés à la hâte, se résumant à une succession de gags mécaniques. Les gags sont approfondis, même si, pour cela, il faut en ralentir le rythme. Chaplin a été et reste le comique le plus populaire de l'histoire du cinéma. La carrière de Keaton, au contraire, a été prématurément brisée.

■ Chaplin (1889-1977)

Le personnage de Charlot est un vagabond muni d'une canne, coiffé d'un chapeau melon, vêtu d'un pantalon trop large et d'une veste étriquée, chaussé de souliers trop grands.

La méthode de travail de Chaplin consiste souvent à tourner d'abord une idée qu'il a en tête et à élaborer ensuite, à partir de ces premiers mètres de pellicule, son scénario.

Il mêle avec brio le comique burlesque et le mélodrame. C'est ainsi qu'en 1920 il émeut l'Amérique et le monde entier avec son très sentimental *The Kid*.

Chaplin se met tardivement au cinéma parlant, qui ne convient pas à son style essentiellement visuel. Ses films des années 30 ne sont pas pour autant privés de bande-son, puisque Chaplin, qui est également musicien, en compose la musique.

■ Keaton (1895-1966)

Chez Keaton, si les vêtements et les accessoires varient, la silhouette reste immuable et le visage, qui exclut toute grimace, se fige dans le masque imperturbable de « l'homme qui ne rit jamais », animé cependant par des yeux extraordinairement mobiles et expressifs.

Keaton refuse tout trucage et exécute lui-même ses cascades (ce qui lui vaudra quelques accidents graves).

L'espace, mis en valeur par de nombreux plans d'ensemble et une grande profondeur de champ, constitue un élément fondamental de ses films. Sa passion pour les moyens de transport et pour le voyage en général lui permet de mettre en relief les paysages. Parmi ses films, citons : *Les Lois de l'hospitalité* (1923), *La Croisière du « Navigator »* (1924), *Le Mécano de la « General »* (1926), *Cadet d'eau douce* (1928), etc.

| HISTOIRE |
| **GENRES ET FORMES** |
| RÉALISATION |
| PRODUCTION/DIFFUSION |
| TECHNIQUES |
| LIRE UN FILM |

La comédie

La comédie est un genre à la fois universel et d'une grande complexité. Chaque pays a développé sa ou ses propres tendances aux ressorts variés. La comédie fait rire, tantôt par son raffinement, tantôt par sa grossièreté, tantôt en fuyant les problèmes de société, tantôt en les exploitant.

La comédie américaine

☐ *La comédie populiste* a pour toile de fond la crise économique, à laquelle elle propose des remèdes fondés sur l'initiative individuelle. Son héros est issu de la classe moyenne rurale. Il incarne les valeurs originelles de l'Amérique. La modestie et l'honnêteté sont ses armes face à l'élite industrielle républicaine des grandes villes. Sa naïveté est la clé du comique.

☐ *La comédie sophistiquée* tourne le dos à l'actualité et opte pour la dérision, la frivolité. Elle se déroule au sein de l'aristocratie raffinée, souvent européenne. Elle se caractérise par des dialogues brillants et une mise en scène enlevée.

☐ *La comédie loufoque* (ou *screwball comedy*) est un mélange de burlesque (rythme effréné, extravagance, irréalisme) et de comédie sophistiquée (art du dialogue, histoires sentimentales). Elle a parfois recours à des thèmes populistes.

La comédie à l'italienne

Elle trouve ses racines dans la *commedia dell'arte* dont elle n'a pas oublié les personnages ni les masques. De Toto à Nanni Moretti, le regard réaliste et critique sur la situation sociopolitique de l'Italie teinte la comédie d'amertume. La mort est présente ou proche. Dans le cinéma italien, le comique inclut le tragique. Il repose sur la parodie, l'ironie, le sarcasme. La comédie italienne a donné lieu à quelques films collectifs à sketches comme *Les Nouveaux Monstres*, 1978.

Le comique français

☐ L'esprit français friand d'abstraction et champion du bavardage serait le support de la comédie. Il n'existe cependant pas un type de comique français, mais une multitude de tons, de styles (comédie sentimentale de Guitry, comique de gesticulation grimaçante de De Funès, etc.).

☐ Le comique commercial est représenté par quelques réalisateurs spécialisés (Gérard Oury, Georges Lautner, Claude Zidi) et quelques acteurs typés : Jean Lefebvre incarne l'abruti, Jacqueline Maillan la bourgeoise du XVIe, etc. Il puise dans le vaudeville, le théâtre de boulevard. Mais le cinéma français offre également des comédies aux scénarios plus originaux et plus personnels, œuvres de cinéastes non spécialisés dans le genre (Renoir, Becker, etc.).

L'humour britannique

Du nom du studio qui les a produites entre 1945 et 1955, les *Ealing comedies* à l'humour pince-sans-rire sont le reflet de la *british way of life*. Sur toile de fond réaliste se développe une situation comique parce que anormale. Le système social anglais y est critiqué de façon tantôt corrosive, tantôt superficielle, respectant la devise de leur producteur, Michael Balcon, qui parlait de « dénonciation mesurée ».

■ De l'Allemagne aux États-Unis

Ernst Lubitsch (1892-1947) a été à Hollywood le maître incontesté de la comédie légère et sophistiquée à l'européenne. Après dix années de carrière en Allemagne, durant lesquelles il réalise quelques comédies (*La Princesse aux huîtres*, 1919) mais surtout des films historiques à grande mise en scène (*Madame Du Barry*, 1919), il se rend aux États-Unis en 1923, invité par Mary Pickford et la United Artists.

Parmi ses principales comédies américaines : *Haute Pègre* (1932), *Sérénade à trois* (1933), *Ninotchka* (1939), *To Be or Not to Be* (1942), *Le Ciel peut attendre* (1943), *La Folle ingénue* (1945).

■ L'art de la suggestion

Il abordait les thèmes les plus crus (avidité d'argent et de pouvoir, pulsions sexuelles, etc.) sur un mode allusif, s'accommodant des préceptes de la censure et des codes sociaux. Dans *Haute Pègre*, la pratique du cambriolage, le piquant lié aux risques, les jeux de travestissements et de faire-semblant apparaissent bel et bien, du point de vue des personnages, comme supplément d'érotisme et, du point de vue du spectateur, comme substitut ou métaphore.

■ L'art du détail

Lubitsch apportait un soin extrême à chaque détail et se montrait d'une très grande exigence : il retouchait ici un détail du scénario, là une phrase de dialogue ; il faisait modifier le bouton d'un costume, la position d'un objet, une nuance dans l'expression d'un visage. Il pouvait faire répéter les acteurs (comme ce fut le cas dans *To be or not to be*) durant une semaine entière sans déclencher le moteur de la caméra, jusqu'à ce que chaque réplique sonne parfaitement juste. L'art de la suggestion, le raffinement et l'élégance liés à la sensibilité de cet intellectuel européen se trouvent résumés dans l'expression *Lubitsch touch*.

To be or not to be (1942).

Nanni Moretti

Nanni Moretti (né en 1953) apparaît comme l'héritier de la grande époque de la comédie à l'italienne des années 60 et 70 et comme l'espoir d'une possible continuation. À la nouvelle réalité économique du cinéma italien, à la nécessité de lutter contre les grands monopoles, il répond par un cinéma indépendant peu onéreux et épuré qui n'est pas sans rappeler celui de Woody Allen. Souvent producteur, scénariste, metteur en scène et acteur, il limite l'équipe artistique à son strict minimum, rompant ainsi avec la tradition du film collectif à sketches et développant à l'inverse, un cinéma très individualiste. Il réalise des films à la première personne, qu'il s'agisse de ceux dans lesquels il incarne le personnage de Michele Apicella (de *Je suis un autarcique* en 1976 à *Palombella Rossa* en 1989) ou de *Journal intime* (1994), délibérément autobiographique.

HISTOIRE

GENRES ET FORMES

RÉALISATION

PRODUCTION/DIFFUSION

TECHNIQUES

LIRE UN FILM

Le western

Les westerns sont des représentations majeures du cinéma américain. Le genre est né en même temps qu'Hollywood. Les récits mêlent le mythe de la conquête de l'Ouest et la réalité historique. À travers le western, les réalisateurs américains s'interrogent sur l'histoire de leur nation.

Le mythe de l'Ouest

☐ Le western trouve ses origines dans la conquête des grands espaces, l'Ouest américain au XIXe siècle mais aussi les marges canadiennes et mexicaines. Le cinéma reproduit l'histoire de cette conquête, qui peut se résumer en trois cycles.

☐ Avant la guerre de Secession, les films dressent une série de portraits de héros solitaires : trappeurs (*Jeremiah Johnson,* de Sidney Pollack, 1970), hommes de la frontière en lutte contre les Indiens, les Mexicains ou les brigands (*La Rivière rouge,* d'Howard Hawks, 1948). La communauté de pionniers sert aussi à mettre en valeur le courage des fondateurs de la nation.

☐ Cependant, pour la majorité des spectateurs, le western s'identifie au cow-boy avec ses colts, sa Winchester et son cheval. Il incarne la nation en marche, la soif de liberté. Dans les films qui retracent l'histoire des États-Unis entre 1865 et 1890, les cinéastes peignent une société en devenir : hors-la-loi violents ou au grand cœur, shérifs, avocats, barmen, femmes d'officier ou prostituées… et Indiens hostiles ou vaincus. John Ford (1895-1973) réunit une partie de cette société dans une diligence qui traverse le pays des Apaches en révolte (*La Chevauchée fantastique,* 1939).

☐ Après 1890, la frontière est achevée, la société s'est organisée, le cow-boy solitaire n'a plus sa place (*Tom Horn* de William Wiard, 1979).

Le western américain, une réflexion sur l'histoire

☐ Le western est aussi ancien que le cinéma américain. *L'Attaque du grand rapide,* réalisé par William Porter en 1903, est considéré comme le pionnier d'un genre qui s'est particulièrement développé entre 1920 et le début des années 60.

☐ À travers le western, les réalisateurs s'interrogent sur l'histoire de la nation américaine. Jusqu'au début des années 50, ils justifient l'anéantissement des Indiens en les présentant comme des sauvages qui font obstacle au progrès. À partir de *La Flèche brisée* (Delmer Daves, 1950) commence une nouvelle lecture de l'histoire, les films reconnaissent les cultures indiennes et parlent du génocide des nations indiennes (*Little Big Man,* d'Arthur Penn, 1970, *Danse avec les Loups,* de Kevin Costner, 1991). Les personnages légendaires de l'Ouest sont progressivement démystifiés. Arthur Penn dans *Le Gaucher* (1958) s'attaque à Billy the Kid, Robert Altman s'en prend au glorieux Bill Cody dans *Buffalo Bill et les Indiens* (1976).

Le western spaghetti

La plupart des westerns italiens gomment les aspects historiques, schématisent les situations et les personnages, réalisent une apologie de la violence. Ils détournent le genre d'une manière parodique, c'est « le western spaghetti ». Le maître incontesté du genre est Sergio Leone (1929-1989) dont les films *Pour une poignée de dollars* (1961), *Il était une fois dans l'Ouest* (1968)… connurent un succès international.

LE FILM MYTHIQUE D'UN GÉANT

■ Howard Hawks

D'origine californienne, Howard Hawks (1906-1997) poursuit des études d'ingénieur et travaille pendant ses vacances dans les studios hollywoodiens. Au retour d'un service militaire effectué dans l'armée de l'air pendant la Première Guerre mondiale, il devient coureur automobile, pilote d'avion et, parallèlement, cinéaste indépendant.

En 1922, il se consacre exclusivement au cinéma, avec la signature d'un contrat avec la Paramount et rédige pour ce studio une soixantaine de scénarios.

À partir de 1925, il travaille comme metteur en scène à la Fox et continue à participer à la rédaction de tous les scénarios qu'il réalise.

Hawks, véritable auteur, a montré son talent en réussissant des films de tous les genres :

— comédies : *L'Impossible Monsieur Bébé*, *Les Hommes préfèrent les blondes* ;

— aventures : *Hatari* ;

— péplums : *La Terre des Pharaons* ;

— films noirs : *Scarface*, *Le Port de l'angoisse*, *Le Grand Sommeil* ;

— westerns : *La Rivière rouge*, *La Captive aux yeux clairs*.

■ Rio Bravo

Rio Bravo (1958), western mythique, prend le contrepied de *Le Train sifflera trois fois* (1952) où Gary Cooper cherchait sans succès de l'aide pour venir à bout des hors-la-loi décidés à l'abattre.

Chance (John Wayne) repousse tout au long du film les offres d'aide. C'est avec ses amis : Dude, shérif alcoolique (Dean Martin) et Stumpy, vieillard claudiquant (Walter Brennan) qu'il lutte contre une bande de brigands. L'intensité dramatique vient du resserrement de l'action dans l'espace (une rue) et dans le temps (quatre jours).

Rio Bravo permet à Hawks de développer ses personnages et ses thèmes favoris. Le héros est un homme épris de liberté, déterminé, qui fait face au danger. L'amitié entre les hommes prend non seulement un caractère d'entraide entre des êtres de force et de valeur comparables, mais plus encore de protection d'un individu pour un autre. La femme (Angie Dickinson) n'est pas un élément du décor, une femme-objet, elle prend des initiatives, se mêle à la vie des hommes, essaie de les comprendre.

HISTOIRE

GENRES ET FORMES

RÉALISATION

PRODUCTION/DIFFUSION

TECHNIQUES

LIRE UN FILM

Le film criminel

Le film criminel constitue un genre complexe, non homogène, décomposable en trois grandes tendances : le film de gangsters, le film noir, le film policier, qui se distinguent par des éléments de contenu et leurs structures narratives. Hitchcock constitue, presque à lui tout seul, un genre à part.

Trois manières de traiter le crime à l'écran

Le film de gangsters	Le film noir	Le film policier
Les personnages : – le héros : le caïd issu de l'immigration. Ses vêtements et accessoires (costumes et cravates voyants, robe de chambre en soie, cigare, etc.) témoignent de sa « réussite » ; – sa petite amie, elle aussi issue d'un milieu humble, est vêtue de toilettes voyantes, vulgaires et chères ; – les policiers.	*Les personnages :* – le héros : le détective privé, personnage ambigu qui n'est ni un policier, ni un gangster, mais un peu les deux. On le reconnaît à son imperméable gris et son chapeau ; – la femme fatale, trop belle et sexy, intelligente, blasée, perverse ; – le ou les criminels.	*Les personnages :* – le héros : le policier intègre et courageux qui défend la loi, l'ordre et les valeurs morales de son pays et qui fait preuve de méthode. Il représente le citoyen modèle, il a une famille qu'il délaisse souvent pour son métier ; – ses collaborateurs ; – sa femme et ses enfants ; – le ou les criminels.
Les lieux : – la ville, le plus souvent Chicago pendant la prohibition ; – rues, restaurants, chambres d'hôtels	*Le lieu :* la ville : beaucoup de scènes dans les rues désertes aux pavés humides, mais aussi beaucoup de scènes dans les intérieurs.	*Le lieu :* la ville : beaucoup de scènes en décors naturels extérieurs qui accroissent le réalisme et réduisent le budget.
Une structure narrative simple : le film décrit l'ascension puis la chute du caïd, victime de sa propre mégalomanie suivant une logique simple de cause à effet. La fin est explicite, la morale est sauve.	*Une structure narrative complexe :* – complexité de l'intrigue (méandres obscurs, révélations tardives, structure non linéaire, flash-back) due à la complexité de l'intrigue du roman porté à l'écran ; – fin souvent équivoque ; – le film adopte souvent le point de vue d'un personnage (voix *off*).	*Une structure narrative de type linéaire,* liée à la structure de l'enquête, respectant le schéma : indice – hypothèse – vérification – et se rapprochant ainsi d'un traitement didactique documentaire. Le film policier s'inspire souvent de faits réels.

Un cas à part : Alfred Hitchcock

Hitchcock (1899-1980), à cause d'un style très personnel, occupe une place particulière au sein du film criminel. Il délaisse l'enquête, le réalisme de l'intrigue, au profit de la mise en scène du suspense. Ses héros ne sont ni des policiers, ni des détectives, mais des Américains moyens, affublés d'une famille modèle, parachutés dans des situations exceptionnelles. Le crime et la brutalité font irruption non pas dans la pègre mais dans le quotidien le plus banal.

■ L'origine de l'expression « film noir »

Au cours de l'été 1946, le public français, sevré de films américains durant la guerre, découvre simultanément quatre films : *Le Faucon maltais* (John Huston, 1941), *Laura* (Otto Preminger, 1944), *Adieu ma belle* (Edward Dmytrick, 1945) et *La Femme au portrait* (Fritz Lang, 1944), suivis de près par toute une série de films américains de la même trempe.

Le Grand Sommeil. **Au centre Hymphrey Bogart est Philip Marlowe.**

Ces films présentent des points communs non seulement entre eux, mais aussi avec les romans de la collection Série noire des éditions Gallimard (violence, érotisme, etc.). Ils sont baptisés « films noirs » par la critique française. L'expression est ensuite adoptée telle quelle par la critique américaine.

■ L'esthétique du film noir

Le film noir américain des années 40, constitué pour l'essentiel de scènes de nuit, renforce l'effet de l'obscurité en ayant peu recours à la lumière d'appoint et en accentuant les contrastes grâce à une photo sous-exposée. La lumière crue durcit les visages et rend les femmes mystérieuses et inquiétantes. La plastique du film noir relève d'une synthèse de l'expressionnisme allemand, du réalisme poétique français et d'une esthétique propre aux recherches des chefs opérateurs américains.

Le film noir résiste longtemps à la couleur. Il existe néanmoins, à partir des années 60, quelques films paradoxalement noirs et en couleurs qui développent les scènes diurnes et accroissent la violence (*Chinatown*, de Roman Polanski, 1974).

Dans le rôle du privé : Humphrey Bogart

Dans les années 30, en tant que gangster, Humphrey Bogart (1900-1957) avait eu du mal à rivaliser avec Edward G. Robinson, James Cagney et George Raft. C'est au tout début des années 40 qu'il revêt le costume du détective privé qui le fera entrer dans la légende.

En 1941, il est Sam Spade, héros de Dashiell Hammet dans *Le Faucon maltais* de J. Huston, détective indépendant, intransigeant, indifférent, froid, ne se fiant ni à la pègre ni à la police. En 1946, il est Philip Marlowe, héros de Raymond Chandler dans *Le Grand sommeil* de H. Hawks, un soupçon plus tendre et élégant, aux côtés de Lauren Bacall à qui il donnera à nouveau la réplique dans *Les Passagers de la nuit* et dans *Key Largo*.

HISTOIRE

GENRES ET FORMES

RÉALISATION

PRODUCTION/DIFFUSION

TECHNIQUES

LIRE UN FILM

Le mélodrame

> Le mélodrame a traversé l'histoire du cinéma et est présent dans tous les pays. Il a subi des transformations inhérentes aux progrès techniques. On le reconnaît à sa manière d'appuyer les émotions et les sentiments, de rendre les passions plus violentes que dans une représentation réaliste.

Les caractéristiques générales

☐ Le mélodrame est un genre codifié et stéréotypé qui trouve ses origines dans le théâtre et la littérature populaires. Il est caractérisé par l'exacerbation des sentiments, au-delà de tout réalisme psychologique. À l'inverse du drame, il préfère les situations pathétiques et les effets sensationnels à la vraisemblance. Miracles providentiels, infortunes soudaines, catastrophes, coups du destin peuplent les mélodrames.

☐ Le genre s'est développé dans tous les pays, à toutes les époques : séries françaises des années 10, mélodrames hollywoodiens (Griffith, puis Stahl, puis Sirk), italiens (mélodrames bourgeois de l'époque fasciste, puis néoréalistes), etc., et a contaminé tous les genres cinématographiques.

Les thèmes et les éléments du contenu

☐ Les thèmes mélodramatiques sont nombreux et variés : les amours contrariées, l'innocence persécutée, le sacrifice, l'abnégation et la soumission, la trahison, les coups de fortune imprévus, les problèmes d'identité, la maladie, l'infirmité, l'amnésie, la jalousie, la mort, les problèmes sociaux (contraste pauvres-riches), les tabous (différence d'âge, adultère, etc.). Le mélodrame met toujours en scène au moins un personnage victime, le plus souvent une femme. C'est pourquoi on l'appelle couramment aux États-Unis le *women's picture*.

☐ Le mélodrame joue sur des oppositions fortes, telle l'opposition ville-campagne (la ville signifie la débauche, la perte d'identité, l'ascension sociale trop rapide et donc mauvaise, tandis que la campagne évoque la paix, la pureté). Il exalte souvent la nature et rend hommage au cycle des saisons (il associe l'automne à la tristesse, à la mélancolie, à la nostalgie, et le printemps au renouveau et à l'espoir).

Les éléments visuels et esthétiques

☐ Dans les mélodrames muets, même si elle est soulignée par l'accompagnement musical, l'émotion passe essentiellement par le visuel. Elle s'exprime à travers des gestes spectaculaires, emphatiques, violents (gifles, étreintes, bras tendus implorant, etc.) et à travers l'expression des visages (gros plans sur un visage en larmes, par exemple). L'éclairage et les décors contribuent également à mettre en relief le pathétique et les sentiments.

☐ Le mélodrame connaît une importante mutation dans les années 50, avec la généralisation de la couleur et du grand écran. Ce dernier offre de nouvelles possibilités de mise en scène, permet un nouveau traitement de l'espace et des mouvements spectaculaires de caméra. Quant à la couleur, loin d'apporter le réalisme, elle a plutôt une valeur symbolique. Excepté le rouge, qui reste universellement symbole de passion et de violence, les couleurs prennent un sens différent d'un film à l'autre.

DEUX MAÎTRES DU GENRE : DOUGLAS SIRK ET LUCHINO VISCONTI

■ Douglas Sirk

La carrière de Hans Detlev Sierk (nom danois), devenu Hans Detlef Sierck (nom allemand) puis Douglas Sirk (nom américain), se partage entre l'Allemagne et Hollywood, entre le théâtre et le cinéma. Pour Sirk, la plupart des grandes pièces de théâtre (*Richard III, L'Orestie*, etc.) tiennent du mélodrame. Selon lui, le cinéma se serait contenté de remplacer les rois et les princes par des bourgeois.

Douglas Sirk (1897-1987) est aujourd'hui considéré comme l'un des grands maîtres du mélodrame (même s'il a parfois été infidèle au genre, tournant ça et là un western ou un thriller). Il en réalise une première série en Allemagne pour la UFA entre 1936 et 1937, puis une seconde série dans les années 50 à Hollywood pour le studio Universal, à travers laquelle il s'impose comme cinéaste de premier rang. Il contribue à affranchir le terme mélodrame du sens péjoratif qu'on lui attribue souvent.

■ Douglas Sirk à l'Universal

Sirk prolonge dans les années 50 la tradition instaurée dans les années 30. Certains de ses films sont des remakes des mélodrames réalisés par John Stahl : *Le Secret magnifique* (1954), *Demain est un autre jour* (1956), *Mirage de la vie* (1959). Cependant, il renouvelle le genre en imposant un nouveau langage. D'une part, prenant de la distance par rapport aux sujets traités, il introduit une subtile critique de la société américaine sous la forme d'une ironie discrète et implicite. D'autre part, il offre des images esthétiquement somptueuses, étudie avec précision le choix des couleurs, leur donne un sens dramatique précis.

Écrit sur du vent (1956) avec Rock Hudson et Dorothy Malone.

Dans *Écrit sur du vent* (1956), les couleurs primaires et violentes appuient la dramatisation et créent une impression d'irréalité.

À l'exception de *La Ronde de l'aube* (1957), tourné en noir et blanc, ses mélodrames des années 50 ont été qualifiés de baroques flamboyants.

Luchino Visconti

Dès ses premiers pas, le cinéma italien s'est forgé une tradition du mélodrame, héritée directement de l'opéra des XVIIIe et XIXe siècles.

Visconti (1906-1976) a donné au genre ses lettres de noblesse et a su l'affranchir de ses stéréotypes simplistes et naïfs. Les films de l'aristocrate italien sont un modèle de raffinement esthétique.

Aux passions déchirantes se mêle une profonde réflexion sur la situation socio-politique de l'Italie (*Ossessione*, 1942, œuvre qui préfigure le mouvement néoréaliste, *Rocco et ses frères*, 1960) ou sur l'Histoire (*Senso*, 1954, *Ludwig*, 1972).

Son film le plus délibérément mélodramatique est sans conteste *Senso*, adaptation du récit de Camillo Boito. *Senso* relate, dans le contexte historique du Risorgimento, la passion déchirante, parce que à sens unique, de la comtesse Livia Serpieri pour le jeune officier autrichien Franz Mahler.

HISTOIRE

GENRES ET FORMES

RÉALISATION

PRODUCTION/DIFFUSION

TECHNIQUES

LIRE UN FILM

Le documentaire

Le terme documentaire englobe tout ce qui n'est pas fiction, il regroupe les films qui cherchent à représenter la réalité. Apparu dès la naissance du cinéma, le documentaire permet au cinéaste d'interpréter la réalité, d'exposer son point de vue sur le sujet filmé, de réfléchir et de faire réfléchir sur le réel.

Le documentaire naît avec le cinéma

☐ Si le mot documentaire est utilisé pour la première fois en 1923, le genre est né avec le premier film des frères Lumière : *La Sortie des usines Lumière* (1895). Dès lors, des sociétés américaines et européennes envoient dans le monde des opérateurs chargés de ramener des images d'une réalité quotidienne. Le succès est immédiat.

Le documentaire : réalité ou reflet de la réalité ?

☐ Les opérateurs de la Société Lumière avaient comme consigne de saisir la réalité, sans la mettre en scène, de prendre sur le vif. Beaucoup de documentaires restent construits sur ce principe.

☐ Cependant, le film n'est pas la réalité mais un reflet, une interprétation de celle-ci par le cinéaste. L'emplacement de la caméra, du cadre, ou les axes sont souvent déterminés par des raisons techniques et surtout des choix esthétiques. Le montage des images, le mixage des sons passent aussi par le filtre de la subjectivité des documentaristes.

Participation et réflexion sur le réel

☐ Des cinéastes suivent la méthode de Robert Flaherty qui, avec *Nanook of the North*, favorise le développement du documentaire ; ils cherchent à participer au réel. Ils s'imprègnent du milieu, construisent progressivement un scénario, parfois en collaboration avec les personnages filmés. Ils tendent à rendre compte de la profondeur des êtres et des choses. En France, Jean Epstein (*Finis Terrae*, 1929) ou Georges Rouquier (*Farrebique*, 1947) se rattachent à ce courant.

☐ Le cinéaste peut vouloir prendre position vis-à-vis du réel, exprimer son point de vue sur le sujet. Cette démarche induit une manière d'aborder, de filmer et de monter le film. Avec les actualités filmées du « kinonedelia » de Dziga Vertov, la caméra se cache pour filmer la réalité sans déformation, mais les angles de prise de vue et les échelles de plans prévus, les fragments obtenus préparent le montage. Le documentaire devient un moyen de dénoncer des situations sociales, politiques, économiques, le cinéma est militant. Jean Vigo, Joris Ivens, Henry Storck, Chris Marker, Yann Le Masson, etc. sont des auteurs illustrant ce courant qui a fortement influencé le cinéma néoréaliste italien.

Le documentaire fiction

De nombreux documentaires comportent une part plus ou moins importante de fiction. Le tournage et le montage peuvent s'organiser suivant une scénarisation ou une structure dramatique. Les personnages filmés sont mis en scène. La bande son est travaillée pour renforcer la dramaturgie par l'utilisation d'effets sonores et/ou de musiques additionnelles.

DEUX HOMMES DE L'ART

■ Robert Flaherty

Fils d'un prospecteur minier d'origine irlandaise, Robert Flaherty (1884-1951) effectue des études de géologie. Explorateur, il dresse la carte des îles Belcher, dont la plus grande porte son nom. Avec *Nanook of the North (Nanouk,* en français*)*, Flaherty commence sa carrière de cinéaste en 1922. Parmi les œuvres marquantes, on doit citer : *Moana* (1926), *L'Homme d'Aran* (1934), *La Terre* (1939-1942), *Louisiana Story* (1948).

■ Nanook of the North

En 1919, la société de fourrure française Revillon passe commande à Flaherty d'un film sur la vie dans le Grand Nord. L'expédition prend son départ en août. Avant de tourner la première image, Flaherty partage, pendant deux ans, la vie d'une famille esquimau, celle de Nanouk. Celui-ci participe activement à la réalisation et s'investit en tant qu'acteur principal. Le film retrace le combat quotidien d'un homme contre une nature hostile, il met en valeur la force, le courage, la solidarité de la communauté. Sorti en 1922, le film obtint un succès international. Nanouk devint un personnage célèbre. Deux ans plus tard, il mourrait de faim sur la banquise. La nouvelle de cette disparition fut diffusée dans le monde entier.

■ Raymond Depardon

Né en 1942, Raymond Depardon, d'abord photographe et cofondateur de l'agence Gamma, réalise des courts métrages et des reportages pour la télévision. Cette école le conduit à traiter des sujets politiques (*50,81 %* en 1974, sur la campagne présidentielle de Valéry Giscard d'Estaing) et sociaux (*Reporters*, 1982) pour le cinéma.

Il renouvelle le documentaire par ses sujets et ses méthodes de travail. S'installant avec un matériel léger dans un milieu donné, il filme, avec l'accord des intéressés, la vie au quotidien d'un commissariat de police parisien (*Faits divers*, 1983), d'un service psychiatrique (*Urgences*, 1988) ou judiciaire (*Délits flagrants*, 1994). Puis il soumet les heures de rushes obtenues à une sélection sévère et rigoureuse, en vue de concilier la vérité et l'impact dramatique des documents.

Mais il dose aussi subtilement des éléments réalistes avec la fiction (*La Captive du désert*, 1989) ou le journal intime (*Afriques, comment ça va avec la douleur ?*, 1996). Ses œuvres, toujours très concertées plastiquement, ne cessent d'interroger les rencontres entre le « réel » et la subjectivité individuelle (*Paris*, 1998).

Nanook of the North, 1922.

Afriques, comment ça va avec la douleur ?,
1996.

HISTOIRE
GENRES ET FORMES
RÉALISATION
PRODUCTION/DIFFUSION
TECHNIQUES
LIRE UN FILM

Le fantastique

> Dans le film fantastique, le réel cède la place au surnaturel. Ce genre trouve son origine dans les mythes d'antan ou dans les peurs du moment. Il possède un répertoire limité de personnages, lieux, thèmes. Le passage du noir et blanc à la couleur et aux effets spéciaux a mis l'accent sur l'horreur.

Les caractéristiques générales

☐ Le fantastique implique un déséquilibre du réel, la création d'un monde parallèle régi par ses lois propres. Il arrive que le fantastique ne fasse que des incursions fugitives dans des films n'appartenant pas pleinement au genre. Il existe donc un genre fantastique et un climat fantastique (*La Nuit du chasseur*, de Charles Laughton, 1955).
☐ Le fantastique admet deux options : ou bien il fait rêver et se confond avec le merveilleux (c'est le cas dans les dessins animés et dans certaines comédies musicales), ou bien il fait peur et se confond alors avec l'épouvante.

Les sources du film fantastique

Le film fantastique puise son inspiration dans les légendes populaires, les mythes, les croyances folkloriques, le plus souvent d'origine européenne, et le roman gothique. Il naît aussi de l'inconscient collectif d'un pays. Ses créatures, aussi pathétiques que monstrueuses, cristallisent les craintes et les espoirs collectifs propres à un pays à un moment donné. Enfin, le genre fantastique compte d'innombrables séries et remakes. Le genre est devenu sa propre source, il « s'autovampirise ».

Les éléments du film

☐ *Personnages :* vampires, fantômes, monstres difformes, paysans aux mines patibulaires, etc., le héros pâle et tourmenté, l'enfant innocent, la jeune femme pure.
☐ *Lieux :* région désolée et sinistre (les Carpates, par exemple), villages quasi désertés, routes défoncées, châteaux sombres et hantés, etc.
☐ *Thèmes :* métamorphose, possession diabolique, sorcellerie, envoûtement, magie noire, satanisme, parapsychologie, thème du double, sexualité refoulée, violence, etc.

Le traitement cinématographique

☐ Les premiers grands films fantastiques sont issus de l'expressionnisme (*Nosferatu le vampire,* de Murnau, 1922). L'esthétique expressionniste, notamment ses contrastes ombre-lumière, convenait à merveille au genre. Plus tard, aux États-Unis, les films fantastiques en noir et blanc ne cacheront pas leur dette envers l'expressionnisme.
☐ Mais la couleur, l'écran large, le latex, les effets spéciaux, loin de mettre le genre en danger, vont le conduire dans une voie radicalement différente. La couleur impose un nouveau traitement des décors et de nouvelles atmosphères. Elle apporte également une représentation plus réaliste du sang et de l'horreur. Les torrents d'hémoglobine donnent naissance au sous-genre du film *gore*. Si le film en noir et blanc joue sur l'ellipse et le hors champ, le film en couleur se complaît, au contraire, à montrer l'« immontrable » de l'horreur.

■ La Hammer Films et le fantastique

La Grande-Bretagne, terre d'élection de la littérature fantastique gothique, est, dans la seconde moitié des années 50 et durant les années 60, celle du film fantastique, grâce à la Hammer Films, maison de production dont les studios sont installés à Bray, dans l'Essex.

L'immense succès du *Monstre* (Val Guest, 1955) en Grande-Bretagne, mais aussi et surtout aux États-Unis, révèle qu'il existe bel et bien un public de films fantastiques.

■ Terence Fisher à la Hammer

Terence Fisher (qui avait jusqu'alors réalisé des films sentimentaux à tendance mélodramatiques) rejoint la Hammer en 1952 et, après une spectaculaire métamorphose, tourne, en 1957, *Frankenstein s'est échappé*, second grand succès qui ne fait que confirmer le goût du public pour le genre ainsi que l'intérêt de la critique (il tournera par la suite quatre autres *Frankenstein* ainsi que trois *Dracula*). Fisher met en avant la violence et l'éro-

tisme, grâce entre autres à son sens aigu de la couleur et à ses fidèles interprètes, Peter Cushing et Christopher Lee, deux acteurs de premier ordre.

■ Le style Hammer

La Hammer produit des films à petit budget. On y recycle les décors, on y limite la durée des tournages. Les réalisateurs, faute de pouvoir miser sur le perfectionnement onéreux des trucages, travaillent en artisans et se montrent particulièrement inventifs, mêlant l'humour au fantastique.

Après avoir donné au fantastique, genre plutôt sous-estimé, ses lettres de noblesse, la Hammer Films perdra de la vitesse dans les années 70, dépassée par les progrès techniques qu'elle s'obstine à dédaigner. Le film fantastique est désormais un genre à gros budget.

HISTOIRE

GENRES ET FORMES

RÉALISATION

PRODUCTION/DIFFUSION

TECHNIQUES

LIRE UN FILM

La science-fiction

Le cinéma est le médium idéal de la science-fiction. De même, la science-fiction est le genre qui permet le mieux au cinéma de déployer sa technologie. Le film de science-fiction est irréaliste (fausse image de la science, monde irréel, scénarios invraisemblables, etc.), mais il est souvent une parabole de la réalité.

La science-fiction et le cinéma

☐ Il existe entre la science-fiction et le cinéma un rapport de complicité privilégié. Cette complicité tient au dispositif cinématographique lui-même, comparable à une machine à explorer le temps et l'espace, capable de mettre en présence le passé, le futur, l'ici, le lointain. En cela, même s'il s'inspire, pour ses thèmes, ses personnages, ses décors, de la littérature et de la bande dessinée, le cinéma reste le médium de prédilection de la science-fiction.

☐ Par ailleurs, la science-fiction met en valeur toutes les techniques du cinéma. Le spectaculaire lié à la technologie figure parmi les éléments de base constitutifs du genre. Un film de science-fiction est toujours l'occasion de montrer où en sont les technologies de pointe, et ce du *Voyage dans la lune* de Méliès (1902) à *La Guerre des étoiles* de Lucas (1977).

La science-fiction et la science

☐ L'un des thèmes récurrents de la science-fiction est celui d'une science ultra-efficiente, mais mal contrôlée et donc dévastatrice, qui fabrique de terribles robots (la jeune femme-robot dans *Metropolis*, l'ordinateur Hal 9000 dans *2001 : l'Odysée de l'espace*) ou cause des désastres écologiques.

☐ Ces films n'empruntent pourtant à la science que son apparence et en donnent une fausse représentation. Le savant est plus souvent un fou qu'un scientifique. Ses objectifs sont démesurés et absolus : il veut soit sauver le monde soit le perdre. La science-fiction tient soit de la magie soit de la sorcellerie.

La science-fiction et la réalité

☐ Le voyage dans le temps et dans l'espace intergalactique, le devenir de l'homme, sa place dans l'univers, les conséquences des progrès scientifiques, la guerre interplanétaire, etc. font de la science-fiction le genre irréaliste par excellence, un genre qui dépayse au même titre que le conte de fées.

☐ Cependant, si grande que soit la distance le séparant du réel, le film de science-fiction témoigne souvent d'interrogations, de peurs caractéristiques d'une époque et livre un message politique ou philosophique (sur ce point, il diffère très nettement du film d'épouvante). La guerre froide a été, par exemple, une période particulièrement riche en œuvres de science-fiction (*Le Jour où la Terre s'arrêta,* de Robert Wise, 1951 ; *L'Invasion des profanateurs de sépultures,* de Don Siegel, 1956). Celles-ci se sont chargées de dénoncer la paranoïa collective de l'époque.

☐ Par ailleurs, les films de science-fiction ne renoncent pas tous au réel. Il n'est pas rare qu'après avoir infligé à leur héros une série d'épreuves des plus invraisemblables ils préconisent, en guise de *happy end*, un retour à ce réel qui, bien que fade et médiocre, s'avère au moins plus sécurisant.

2001 : L'ODYSSÉE DE L'ESPACE

■ Synopsis du film

Première partie : l'aube de l'humanité. Un groupe de singes en danger découvre un mystérieux monolithe noir. L'un d'eux a alors l'idée d'utiliser un os comme arme pour tuer.

Deuxième partie : en 2001, le docteur Floyd se rend sur la Lune pour enquêter sur la présence du même monolithe.

Troisième partie : mission Jupiter, 18 mois plus tard. Un vaisseau spatial est lancé vers Jupiter. À bord, l'ordinateur Hal 9000 met fin à la vie des cosmonautes. David Bowman, qui réussit à le déconnecter, est le seul survivant.

Quatrième partie : Jupiter et au-delà de l'infini. Aux abords de Jupiter, le Discovery croise le monolithe. Bowman est absorbé par un nouvel espace-temps vertigineux. Dans une chambre du XIIIe siècle, il se voit vieillir à toute allure. Le monolithe réapparaît. Bowman renaît sous forme d'un fœtus.

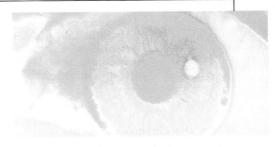

Les visions de Bowman au-delà de l'infini.

■ Le renouvellement du genre

2001, film de Stanley Kubrick, sorti en 1968, rompt radicalement avec les scénarios types, leurs extraterrestres, leurs paraboles et leurs structures narratives traditionnelles. Les quatre millions d'années séparant la première partie de la seconde créent l'ellipse temporelle la plus célèbre de l'histoire du cinéma.

Le récit est éclaté en quatre parties indépendantes, le fil d'Ariane se résumant à l'apparition répétée du mystérieux monolithe dont le film n'expliquera pas la nature. La dernière partie et sa fin ouverte sont un défi à tout esprit rationnel. L'abolition de l'espace et des repères chronologiques rend la situation parfaitement hermétique. L'usage de pellicules spéciales et de filtres, les techniques particulières de développement et les images de synthèse donnent lieu à une orgie de couleurs et font du dernier quart d'heure un moment purement plastique.

■ Un film « documentaire »

Cas unique dans le genre, le film possède une dimension documentaire et offre une image vraisemblable de la science, Kubrick et son équipe de maquettistes ayant collaboré avec des ingénieurs de la Nasa. Les longs moments non narratifs montrant le vaisseau spatial dans l'espace, au son des valses de Strauss, renforcent cette dimension.

HISTOIRE

GENRES ET FORMES

RÉALISATION

PRODUCTION/DIFFUSION

TECHNIQUES

LIRE UN FILM

Le cinéma expérimental

Le cinéma est issu d'expériences sur le mouvement. Sa vocation expérimentale originelle ne s'est jamais démentie, dans le champ scientifique comme dans le champ esthétique. Mais le cinéma expérimental se déplace au gré des courants formalistes, engagés ou intimistes.

Des cinémas différents

☐ Sous l'influence de peintres, d'écrivains, de courants artistiques d'avant-garde ou de mouvements contre-culturels, un autre cinéma se développe. Ses modes de financement (mécénat, autofinancement) et de diffusion (ciné-clubs, festivals spécialisés, universités et musées) sont différents. Il exploite des techniques économiques d'enregistrement (16 mm, magnétophone portable).

☐ Les œuvres ne sont pas conformes aux modèles dominants. Ce sont des films :
– privilégiant les formes plastiques et sonores. Parmi les techniques utilisées, on remarque le coloriage ou le grattage à la main de la pellicule, le filmage de séries d'images abstraites, le montage d'images très diverses selon des rythmes visuels et sonores, l'animation ;
– liés à des courants artistiques (dadaïsme, surréalisme, lettrisme, pop'art, etc.) ou des minorités actives (*gays* américains, par exemple) ;
– très personnels, lyriques, intimes, autobiographiques.

Europe, années 20

☐ En Europe, le cinéma s'affirme comme un septième art. Des poètes et des peintres s'intéressent à ce nouveau support de formes, de sensations et d'idées. En Allemagne, Hans Richter élabore la série des *Rythmus*, Walter Ruttmann celle des *Opus*, images abstraites agencées selon des rythmes visuels. En France, René Clair tourne *Entr'acte* (1924), fantaisie orchestrée sur une musique d'Érik Satie ; Henri Chomette propose *Cinq Minutes de cinéma pur* (1926), Man Ray met en images un poème de Robert Desnos, *L'Étoile de mer* (1927), Luis Buñuel et Salvador Dali provoquent le scandale avec *Un chien andalou* (1928).

☐ Le documentaire poétisé par le montage crée un véritable genre, la symphonie de ville, illustré par Walter Ruttmann en 1927 (*Berlin, symphonie d'une grande ville*) et par Jean Vigo en 1929 (*À propos de Nice*).

Amériques, années 50-70

☐ Au cours des années 50, les grands foyers d'expériences filmiques se déplacent vers l'Amérique du Nord (Canada, États-Unis). Aux États-Unis, le cinéma *underground* rejette les valeurs et les modèles dominants. Kenneth Anger, avec *Scorpio Rising* (1963), célèbre les charmes sulfureux de la moto et de l'homosexualité. Andy Warhol élabore des sortes de films bruts, tels *Sleep* en 1963 (plans d'un homme qui dort, durée : 6 heures) ou *Empire* en 1964 (plan fixe de l'Empire State Building de New York, durée : 8 heures).

☐ Le cinéma expérimental suscite même des succès commerciaux comme *Koyanasqaatsi* (1983) de Godfrey Reggio ou *Microcosmos* (1996) de Claude Nuridsany et Marie Perennou, où la science rencontre l'esthétique.

■ Hommage à Charlot

Le Ballet mécanique s'ouvre et se clôt sur les images d'une poupée articulée, la Chaplinade, élaborée par Fernand Léger en hommage à un personnage qu'il admirait. D'une durée de 12 minutes, il le réalisa en 1924 avec l'aide du cinéaste américain Dudley Murphy.

■ Extrait du synopsis original de Fernand Léger

Objets - images - les plus usuels -
figure - fragments de figures, fragments
mécaniques métalliques, objets fabriqués
projection gros plan avec minimum de
perspective

L'intérêt particulier du film est porté
sur l'importance que nous donnons
à « l'image fixe », à sa projection
arithmétique, automatique, ralentie

ou accélérée -

Aucun scénario -
Des réactions d'images rythmées
c'est tout.

La Chaplinade
de Fernand Léger (1920).

Charlot de Sergueï Youtkevitch (1926).

Sergueï Eisenstein de Sergueï Youtkevitch
(1926).

HISTOIRE
GENRES ET FORMES
RÉALISATION
PRODUCTION/DIFFUSION
TECHNIQUES
LIRE UN FILM

Films d'aventures et à grand spectacle

Devenu pour des raisons économiques un genre principalement américain, le film d'aventures se reconnaît à ses séquences d'action, au profil du héros et des acteurs, et à un certain exotisme.

L'action, les personnages, les acteurs

☐ Le film d'aventures constitue un ensemble très vaste aux limites incertaines et aux formes variées. Cependant, certains éléments lui sont indispensables : beaucoup d'action, du mouvement, des exploits, des combats risqués, une mise en scène spectaculaire pour la glorification de l'effort physique.

☐ Le film d'aventures est généralement centré sur un héros masculin transparent et dépourvu de contradictions. Ses attributs touchent essentiellement le physique : il est fort, grand, athlétique et beau. Ses caractéristiques morales et psychologiques se résument au courage, au respect de la justice et autres sentiments nobles qui, bien souvent, justifient la violence.

☐ Il plaît naturellement aux femmes, aussi bien à la jeune héroïne pure, candide, charmante mais dépourvue de sex-appeal qu'à la femme sensuelle, passionnée, parfois perverse. Mais le film d'aventures, en général plutôt misogyne, n'accorde à la femme qu'un rôle de faire-valoir. C'est pourquoi il n'y a guère d'actrices spécialisées dans le genre, tandis que certains noms d'acteurs resteront à jamais liés à l'aventure (Douglas Fairbanks, Johnny Weissmuller, Harrison Ford, Jean-Paul Belmondo, etc.).

L'espace-temps du film d'aventures

☐ Les innombrables sous-catégories du film d'aventures sont souvent déterminées par leur contexte géographique et/ou historique. Le film d'aventures apporte évasion et dépaysement, grâce à un saut dans l'espace (jungle africaine, Orient, océan, îles du Pacifique, etc.) ou dans le temps (reconstitutions historiques, films de guerre, etc.) ou les deux (épopées bibliques, aventures coloniales, etc.).

☐ Qu'il soit ou non tourné en studios, le film d'aventures accorde, au nom de cet exotisme, une grande importance aux décors. Les lieux sont déterminants : ils sont la plupart du temps inhospitaliers et recèlent toutes sortes de dangers.

Le mode de production

☐ Le film d'aventures appelle souvent une suite : les *serials* (ou feuilletons) muets ont laissé place aux séries (le héros reste le même, mais chaque film est indépendant : James Bond, Judex et autres). La série permet un renouvellement des lieux, des ennemis et des accessoires dans le cadre d'un même schéma narratif.

☐ L'essor des grands studios hollywoodiens et leur politique de prestige provoquent une inflation des coûts. Le film d'aventures devient alors souvent synonyme de superproduction (épopées bibliques en couleur et en Scope des années 50 et 60, avec plans généraux sur décors colossaux, grands panoramiques, foules de figurants ; films des années 90 aux effets spéciaux fulgurants comme *Mission : impossible, Speed* I et II, etc.). Bien que présent en Europe et en Asie (films hongkongais de Tsui Hark), le film d'aventures se développe donc principalement aux États-Unis.

TARZAN ET BRUCE LEE:
DEUX GRANDES FIGURES DE L'AVENTURE

**Tarzan, l'homme singe
avec Johnny Weissmuller (1932).**

■ La longue série des Tarzan

Personnage légendaire créé en 1912 par le romancier américain Edgar Rice Burroughs, Tarzan devient vite plus célèbre comme héros de films. Le cinéma a tendance à le civiliser et à l'éloigner de son modèle littéraire. À l'image de l'homme sauvage des origines (image d'une innocence perdue) se superpose celle de la civilisation occidentale, du mythe du *self made man*, emblème de la démocratie américaine.

Son succès s'étale de la fin des années 10 à la fin des années 60 (Hugh Hudson en propose encore une version britannique en 1983 : *Greystoke, la légende de Tarzan, seigneur des singes*). Ses aventures se poursuivent à travers une quarantaine de remakes et variations (sans compter les films pour la télévision), tournés tantôt dans les studios d'Hollywood, tantôt en Afrique, en Amérique du Sud ou en Louisiane, réalisés par une vingtaine de réalisateurs (W.S. Van Dyke, Cedric Gibbons, Richard Thorpe…), interprétés par une quinzaine d'acteurs (Elmo Lincoln, Johnny Weissmuller, Lex Barker, Gordon Scott, Christophe Lambert…).

■ Le film de kung-fu et la carrière choc de Bruce Lee

Le film de kung-fu est beaucoup plus récent (années 70) et sa durée de vie bien plus courte. En France, ces films étaient programmés dans des salles spécialisées de quartiers.

Réalisés à la chaîne dans les studios de Hong Kong, ces films à budgets très réduits sont tous calqués sur un même schéma. L'histoire n'est que le prétexte à de longues scènes de combats, souvent violents, les dialogues étant minimalistes (la bande sonore consiste essentiellement en une suite de cris et d'onomatopées).

Bruce Lee, grâce à la qualité de son interprétation, à la virtuosité et à la précision des scènes de combat, souvent très bien filmées, a quelque peu amélioré le genre. Sa musculature et son art du karaté l'ont rendu mondialement célèbre. Son succès fut foudroyant, mais sa carrière éphémère, puisqu'elle se résume en réalité à quatre films. Sa mort prématurée en 1973, alors qu'il n'a que 33 ans et qu'il est au sommet de sa gloire, a contribué à faire de lui une légende. Aujourd'hui, son image se perpétue à travers les imitations de ses successeurs (actuellement, Jackie Chan) ou de ses usurpateurs (les faux Bruce Lee ont été nombreux) et grâce aux clubs de fans.

HISTOIRE

GENRES ET FORMES

RÉALISATION

PRODUCTION/DIFFUSION

TECHNIQUES

LIRE UN FILM

Le dessin animé

Le dessin animé se définit par un mode spécifique de fabrication lié à des techniques, artisanales ou industrielles selon les périodes et le choix des artistes. Initialement destiné aux adultes, il s'est très vite tourné vers le public enfantin, tendance que Walt Disney n'a fait que renforcer.

Le dessin animé et les genres

☐ Le dessin animé n'est pas à proprement parler un genre. Il ne s'oppose ni à la comédie musicale ni au mélodrame puisque, précisément, il existe des dessins animés musicaux et mélodramatiques. Le dessin animé est susceptible d'embrasser tous les genres.

☐ Il se définit non par des éléments de contenu mais par un principe de fabrication : un certain nombre de dessins, correspondant aux phases successives d'un mouvement, sont filmés image par image et recréent, à la projection, l'impression du mouvement.

Les procédés de fabrication des dessins animés

☐ Selon la méthode artisanale (pratiquée aux débuts du dessin animé et dans les années 40-50 par ceux qui fuyaient les méthodes industrielles), les dessins sont réalisés sur papier. Les personnages ne doivent pas chevaucher les décors, d'où l'aspect épuré du dessin animé des années 20. La quantité de dessins nécessaire a encouragé les techniques économiques (par exemple, celle de l'animation partielle : un personnage a une partie fixe et une partie mobile).

☐ Les procédés industriels se mettent en place au moment de l'apparition du Celluloïd (appelé « cellulo »). Ils entraînent la création de grands ateliers organisés, hiérarchisés, ainsi que la spécialisation des individus, cela dans un souci de rentabilité. Avant sa réalisation, un dessin animé est soigneusement préconçu et planifié. L'industrie du dessin animé suit le mouvement de l'industrie du cinéma.

☐ Les dernières méthodes électroniques et informatiques poussent le cinéma d'animation dans une voie nouvelle, celle d'images artificielles ne répondant plus au principe de discontinuité image par image. Les images sont définies mathématiquement selon les règles des langages informatiques.

Le dessin animé monopolisé par les enfants

☐ Le dessin animé s'est d'abord adressé à un public d'adultes. Retenons Betty Boop, sex-symbol du dessin animé des années 30 ; *Fritz the Cat*, dessin animé paillard et subversif des années 60 ; l'œuvre de Tex Avery, ironique et anticonformiste, et les tentatives expérimentales de Norman McLaren.

☐ Mais le dessin animé reste majoritairement destiné aux enfants, et associé à un nom : Walt Disney. En dix ans, Disney développe l'intervallisme (qu'il appliquera d'abord à Mickey), l'usage du Technicolor, il invente le *story-board*, la caméra multiplane (effet de relief). *Blanche-Neige et les Sept Nains* (1938), son premier long métrage (130 000 dessins) constitue un modèle de perfection. Les dessins animés Disney sont principalement des comédies animalières.

☐ Les pays de l'Est ont également créé une importante école de dessin animé au style poétique, influencée, entre autres, par les films de marionnettes tchèques.

oiseau couleurs

Le Roi et l'oiseau de Paul Grimault (1980).

Répertoire de couleurs de l'oiseau, le jour. Gouache sur cellulo.

■ Les premiers croquis

Le réalisateur et les « chefs animateurs » mettent au point les premiers croquis, indiquant les idées générales, les grandes caractéristiques des personnages, des décors et des actions. Ils réalisent ensuite les « extrêmes d'animation », c'est-à-dire les dessins correspondant aux deux extrémités d'un mouvement ou d'un déplacement.

■ Les dessins intermédiaires

Les « intervallistes » ou « assistants d'animation » tracent tous les dessins intermédiaires reconstituant le mouvement du personnage dans son intégralité (24 dessins par seconde de film). Cela suppose une analyse précise de toutes les postures intermédiaires.

Les assistants réalisent également les dessins de décors, autrement dit les « fonds fixes », fixes dans la mesure où ils ne sont pas redessinés à chaque image. On les fait éventuellement défiler lorsqu'un personnage se déplace.

Ces dessins seront ensuite corrigés par les chefs animateurs.

■ L'étape finale

Enfin, a lieu le traçage de chaque dessin sur cellulo (à l'encre ou à la gouache), puis le gouachage des surfaces destinées à être coloriées (sur l'autre face du cellulo). Ces dessins définitifs sont alors filmés en couleur.

L'animation

Prise de vue des essais de l'animation

Le traçage des cellulos au pinceau

HISTOIRE

GENRES ET FORMES

RÉALISATION

PRODUCTION/DIFFUSION

TECHNIQUES

LIRE UN FILM

Le film musical

L'appellation « film musical » désigne un ensemble de films dans lesquels la musique tient une place quantitativement importante. Elle ne se contente pas de créer une atmosphère ou de souligner une émotion : elle est au centre du film, participe directement à sa structuration et lui donne son sens.

Les différentes façons d'allier musique et cinéma

Les films	La musique	Autres caractéristiques
La comédie musicale – *Chantons sous la pluie* (S. Donen et G. Kelly, 1952, États-Unis) – *Les Demoiselles de Rochefort* (J. Demy, 1966, France) – *La Fièvre du samedi soir* (J. Badham, 1977, États-Unis)	La musique est écrite pour le film. Le style varie selon les époques et les modes (jazz-swing pour la comédie musicale classique américaine, rock, disco…) Elle comporte souvent des chansons et accompagne des numéros dansés.	Comédie divertissante et légère à intrigue amoureuse. Les intermèdes musicaux, qui alternent avec l'histoire dialoguée, sont l'affirmation de la vitalité, du mouvement, du spectacle.
Le film musical contestataire – *Easy Rider* (D. Hopper, 1969, États-Unis) – *Tommy* (K. Russel, 1975, Grande-Bretagne) – *The Wall* (A. Parker, 1982, États-Unis)	Musique rock ou pop. Elle est un reflet d'une époque et d'un contexte socio-culturel. Elle est l'un des supports essentiels de l'idéologie du film.	Il se démarque de la comédie. Il critique l'idéologie dominante. Il propose un discours pacifiste (au moment, par exemple, de la guerre du Viêtnam), mystique, pose le problème de la drogue.
L'opéra et l'opérette filmés – *Violettes impériales* (R. Pottier, 1952, France) – *La Flûte enchantée* (I. Bergman, 1974, Suède) – *Don Giovanni* (J. Losey, 1980, France-Italie-RFA) – *Parsifal* (H.J. Syberberg, 1982, France-Italie) – *Carmen* (F. Rosi, 1984, France-Italie)	La musique préexiste au film. Il s'agit d'œuvres lyriques du répertoire classique ou contemporain. La partition musicale est indissociable du texte chanté. Par conséquent, elle fournit au film non seulement la musique, mais aussi son argument, son scénario, sa structure narrative. La musique est ininterrompue, elle est l'objet même du film.	Soit on filme une représentation théâtrale (équivalent du concert filmé : le film s'apparente alors au documentaire et mettra en avant le travail de tel ou tel chef d'orchestre ou de tel ou tel metteur en scène d'opéra), soit l'œuvre est libérée des contraintes scéniques et mise en scène dans tous types de décors, y compris en décors extérieurs. Le réalisateur du film signe alors la mise en scène du spectacle.
La biographie de musicien – *Amadeus* (M. Forman, 1984, États-Unis) – *The Rose* (M. Rydell, 1979, États-Unis) – *Bird* (C. Eastwood, 1988, États-Unis) – *Tous les matins du monde* (A. Corneau, 1991, France)	Musique composée et/ou interprétée par le personnage central du film. Elle définit le personnage. Tantôt elle est ancrée dans l'image (un musicien joue, on entend ce qu'il joue), tantôt elle l'illustre.	Il peut s'agir d'un documentaire (*A film about Jimi Hendrix*) constitué d'un assemblage de documents authentiques. Mais il peut aussi prendre la forme de la biographie romancée, construite sur un scénario et interprétée par des acteurs.

LA COMÉDIE MUSICALE AMÉRICAINE

■ **Un genre à la croisée des arts**

La comédie musicale américaine voit le jour en même temps que le cinéma sonore et s'épanouira largement sur trois décennies.

Elle puise ses matériaux dans de multiples modes d'expression artistiques : la musique, le chant, la danse, le théâtre, l'architecture et la peinture. Elle combine ainsi des éléments de natures très variées pour donner naissance à un spectacle cinématographique codifié, stylisé et qui repose en partie sur les talents multiples d'artistes spécialisés.

■ **Deux grandes familles de scénarios**

L'un des sujets de prédilection de la comédie musicale est l'univers impitoyable de Broadway, la préparation d'un spectacle (ou d'un film) et ses inévitables intrigues de coulisses (*Tous en scène,* de Vincente Minnelli, 1953). Les numéros se confondent alors souvent avec ceux du spectacle ou leurs répétitions.

L'histoire peut se dérouler dans un univers complètement différent, parfois exotique ou onirique (*Le Magicien d'Oz*, de Victor Fleming, 1939). Dans ce cas, les numéros dansés se déploient non plus sur une scène mais dans n'importe quel décor. Les chansons et chorégraphies se trouvent alors intégrées sans rupture à l'histoire, elles en sont le prolongement. Dans un cas comme dans l'autre, les moments de musique et de danse ont pour vocation d'amplifier un sentiment.

■ **Technique et recherche esthétique**

– *La musique et les techniques sonores*
Avec l'évolution rapide des techniques de son (allègement des équipements sonores, amélioration des micros, géné-

Cyd Charisse et Fred Astaire dans *Tous en scène* (1953).

ralisation de la postsynchronisation et des play-back), la musique est devenue magique. Invisible, elle surgit de nulle part au moment précis où Cyd Charisse et Fred Astaire esquissent un premier pas de deux.

– *La danse et la caméra*
Dans la comédie musicale, la caméra, montée sur grue, est tout aussi virtuose que les danseurs. Éclairages, cadrages et mouvements d'appareil épousent les mouvements des danseurs, dynamisent et agrandissent l'espace. Quant au montage, il superpose à la danse et à la musique ses propres rythmes, durées et discontinuités.

HISTOIRE

GENRES ET FORMES

RÉALISATION

PRODUCTION/DIFFUSION

TECHNIQUES

LIRE UN FILM

À l'origine du film :
le scénario

> Le scénario est constitué d'écrits successifs destinés à devenir un objet regardé et écouté. Le terme scénario est aussi utilisé pour désigner le résumé du contenu d'un film.

■■■■■ De la conception au synopsis

☐ Le tournage d'un film passe préalablement par des phases d'écriture sur papier. Si le film naît de la volonté conjointe d'un producteur et d'un réalisateur, l'écriture est le fait du scénariste. Pour construire le récit, celui-ci peut puiser dans les ressources de son imagination, s'inspirer d'événements contemporains ou passés, de faits divers. L'utilisation de textes littéraires (pièces de théâtre, nouvelles, romans) nécessite une réécriture, des phrases vont être transformées en images, en sons : c'est le travail d'adaptation.

☐ À partir de l'idée initiale, le scénariste rédige un synopsis. C'est un bref résumé du récit, sans le moindre dialogue. Il se présente sous la forme d'un texte dactylographié de une à deux pages.

■■■■■ La note d'intention

Si le financement n'est pas trouvé et pour convaincre un producteur, le synopsis peut s'accompagner d'une note d'intention. Elle a pour objet d'expliciter la finalité du propos et la démarche de réalisation. L'auteur précise le caractère des personnages, la tonalité (comique, fantastique, mélodramatique, etc.). Il précise ses intentions esthétiques, il indique la manière dont il souhaite réaliser ses images (mise en scène, lumières, décors), traiter la bande son (musique, dialogues, bruits).

■■■■■ Le traitement et la continuité

☐ L'histoire établie, il convient de réaliser le traitement, c'est-à-dire de construire l'architecture du film, structurer le récit et organiser l'intrigue dans le détail. Ce texte, d'une cinquantaine de pages pour une fiction de long métrage, reste un récit littéraire, même si les articulations majeures de l'histoire, les grandes unités de narration que sont les séquences, apparaissent.

☐ La continuité dialoguée est la dernière étape littéraire du scénario. Elle comporte environ 100 pages (1 page correspondant à peu près à 1 minute de film). La construction dramatique est établie définitivement. Chaque séquence est précédée des indications du lieu, des conditions du déroulement de l'action (intérieur/extérieur, jour/nuit, etc.). La continuité se présente généralement en deux colonnes, l'une pour le visuel, l'autre pour le sonore. Dans la colonne « Visuel » sont indiquées les actions des personnages, verbes et adverbes sont donc la base de l'écriture. La manière de rédiger une continuité suggère déjà des images. « Jacques, songeur, sourit », impose en effet un plan rapproché sur le visage du personnage. Dans la colonne « Son » figurent les dialogues et les effets sonores recherchés. À ce stade de l'écriture, le scénariste peut s'adjoindre les services d'un dialoguiste ; en effet, le naturel qu'exige le cinéma impose une écriture des dialogues très différente de celle du roman ou du théâtre.

CONTINUITÉ DIALOGUÉE DE *WOYZECK*

La continuité dialoguée contient la structure dramatique et les portraits des personnages. Elle décrit, seconde après seconde, l'action du film et les dialogues.

SÉQUENCE 30   ÉPILOGUE ÉGLISE   INTÉRIEUR JOUR

Ambiance campagne meurt dans le noir. Silence. Noir. Cinq/six secondes de noir. Musique naît tout doucement du noir.
Les mains de WOYZECK recueillent de l'eau dans un bénitier avec laquelle il lave son visage.
On se trouve à l'intérieur d'une église, lumière superbe qui pénètre à travers les vitraux. Seule, une FEMME assise dans la travée de gauche.
WOYZECK endimanché, des vêtements propres, pas tout à fait à sa taille, qu'il met pour les grandes occasions. WOYZECK sort, d'un petit sac, un flacon d'eau de toilette et commence à passer méthodiquement cette eau sur son visage, sur son crâne chauve, visiblement heureux de vivre ces instants.
Une grande sérénité passe. WOYZECK s'arrête un instant pour apprécier. Émotion qu'il veut faire partager, il se rapproche de la FEMME. Près d'elle, WOYZECK reprend son manège de petits soins, il ne peut s'empêcher de dire à la FEMME :

WOYZECK   *Vous ne pouvez pas savoir comme je suis heureux.*

LA FEMME   *Pour vous faire si beau vous avez dû rencontrer la femme de votre vie ?*

WOYZECK   *Oh, bien plus que cela, bien plus grand.*

LA FEMME   *Mais que peut-il y avoir de plus important ?*

WOYZECK se retourne pour la première fois en direction de LA FEMME.

WOYZECK   *Je ne peux pas vous en parler. Mais ça va être le plus beau de ma vie.*

WOYZECK sur la dernière réplique ne regarde même plus LA FEMME.

WOYZECK   *Oui... le plus beau jour de ma vie.*

Silence et immobilisme. Une sérénité presque insupportable.

LA FEMME se sent de trop et se retire discrètement.
On reste sur WOYZECK en gros plan, seul dans le silence de l'église.
Derrière LA FEMME, les lourdes portes de l'église se referment.
Silence.

On reste sur le visage illuminé de WOYZECK.

Woyzeck, réalisation Guy Marignane

HISTOIRE
GENRES ET FORMES
RÉALISATION
PRODUCTION/DIFFUSION
TECHNIQUES
LIRE UN FILM

Le découpage technique

Le découpage technique est le stade terminal du scénario. Pour chaque séquence, ce document de travail précise le décor, les costumes, les accessoires, etc. Pour chaque plan, il précise le jeu des acteurs et les indications techniques (cadre, mouvements des appareils, etc.).

■■■■■ Un découpage plan par plan

□ Il convient de préparer le document de travail destiné à l'ensemble des collaborateurs, acteurs et techniciens. La succession séquentielle de la continuité est reprise, découpée plus rigoureusement en scènes, avec des indications précises du décor. Chaque scène est découpée en unités de prise de vue, en plans. Chaque plan est numéroté de 1 à x (x étant le dernier plan du film). Des réalisateurs préfèrent indiquer le numéro du plan après celui de la séquence. Pour chaque plan, la description concise de l'action, les données techniques essentielles, les intentions de mise en scène, les dialogues et les effets sonores sont indiqués.

□ Le découpage doit être très précis et d'une grande clarté de lecture pour que les principaux collaborateurs puissent y trouver toutes les informations dont ils ont besoin. Si certains réalisateurs ne peuvent concevoir d'entreprendre le tournage d'un film sans un découpage très strict, d'autres au contraire préfèrent s'accorder une grande liberté d'improvisation au moment du tournage. Il n'y a pas de recette miracle, seulement une conception différente dans l'approche du cinéma. Les deux écoles ont leurs champions de génie : Lang, Kurosawa ou Hitchcock réalisaient un découpage technique très précis ; Renoir, Rossellini, Fellini faisaient confiance à leur inspiration.

■■■■■ Les croquis, les plans, le story-board

□ Le découpage peut s'accompagner de documents complémentaires. Les croquis, les plans vus du dessus permettent de préciser l'emplacement du décor et du mobilier, les mouvements des acteurs. Les techniciens de l'image et du son peuvent alors concevoir avec précision les contraintes du tournage.

□ Le film peut être dessiné plan par plan avant le tournage, cette bande dessinée se nomme un story-board. Ce document permet de prévoir la durée des séquences, de travailler sur le rythme du film. Il facilite la communication entre le réalisateur et ses principaux collaborateurs. Le décorateur, le costumier, l'opérateur prennent connaissance des désirs du metteur en scène, ils peuvent organiser avec précision leur travail. Les comédiens apprennent leurs déplacements, visualisent les attitudes et expressions, le jeu attendu. De ce fait, le story-board permet de gagner du temps lors du tournage et d'économiser de l'argent.

□ Si certains réalisateurs ne le considèrent pas comme une étape obligée pour réaliser un film, d'autres l'ont régulièrement utilisé : René Clair, Joseph Losey, Nicholas Ray sont de ceux-là. Hitchcock a systématisé l'utilisation du story-board : « Je fais toujours les films sur le papier… Et quand je commence à tourner le film, pour moi il est fini. Si bien fini que je souhaiterais ne pas avoir à le tourner. »

□ Dans le cas de la réalisation d'un film avec de nombreux effets spéciaux, la mise en place d'un story-board est pratiquement obligatoire.

DÉCOUPAGE TECHNIQUE DE *WOYZECK*

À la lecture de la colonne de gauche du découpage, les acteurs connaissent la demande précise du metteur en scène quant à leurs déplacements, leurs gestes, leurs mimiques attendues pour traduire des émotions.

Les indications de la colonne de droite sont de deux sortes : en gras, elles constituent le texte que doit apprendre l'acteur ; en maigre, elles informent l'acteur de l'environnement sonore qui accompagneront la scène.

SÉQUENCE 14   EXTÉRIEUR JOUR   CROISEMENT RUELLES

14-10
Plan taille sur le DOCTEUR
Lorsque le DOCTEUR relève la tête, le CAPITAINE a disparu.
Le DOCTEUR, bouche ouverte, encore essoufflé, avec toujours sa main sur le côté.

Inquiétude sur le visage du DOCTEUR.
Soudain, une main s'appuie sur l'épaule du DOCTEUR, ce n'est que le capitaine qui, parti, est déjà de retour.

CAPITAINE
Permettez-moi à moi aussi de sauver une vie humaine, Monsieur le Docteur.

Bruit de déplacement de charrettes au loin.

Le Capitaine fait mine de s'asseoir. Raccord dans le mouvement, le CAPITAINE vient de s'asseoir.

14-11
Plan moyen de profil, le DOCTEUR, face caméra, le CAPITAINE.

CAPITAINE (*un ton plus bas et triste*)
Je suis si mélancolique et même si exalté (*haussant le ton pour prouver son exaltation*) ***et je ne peux m'empêcher de pleurer*** (*émouvant*).

Pendant ce temps, le DOCTEUR reprend des forces, observe minutieusement le CAPITAINE avant de donner son diagnostic.

La cloche de la chapelle de la garnison tinte.

Woyzeck, réalisation Guy Marignane

HISTOIRE

GENRES ET FORMES

RÉALISATION

PRODUCTION/DIFFUSION

TECHNIQUES

LIRE UN FILM

Le producteur

Le terme de production désigne l'activité du producteur et, par extension, toute la branche de l'industrie cinématographique liée à l'activité du producteur. Celui-ci décide de produire un film après avoir pris en compte les critères commerciaux, artistiques et financiers qu'entraîneront la réalisation.

■■■■ Le rôle du producteur

☐ Le producteur décide de mettre en chantier le film en fonction de critères commerciaux, artistiques et financiers. Le film étant un produit à vendre, le producteur peut être intéressé par un sujet à la mode, porteur d'actualité. L'accord d'une star du box-office est souvent une garantie de diffusion, donc de production. Le producteur peut se déterminer en fonction de l'originalité du sujet, des intentions visuelles ou sonores, suivant des critères artistiques. Il doit évaluer les moyens financiers nécessaires à la réalisation du projet.

☐ Une des clés de la réussite d'un film est la parfaite entente entre le réalisateur et son producteur. C'est après discussion avec lui que le réalisateur choisit les comédiens pour les premiers rôles. Le producteur s'assure alors de leur disponibilité aux dates du tournage et négocie le montant de leur cachet en fonction du budget prévisionnel.

■■■■ L'enregistrement du film

Dès que l'auteur a signé le contrat de cession des droits du scénario à la production, le film est enregistré, sous un titre et sous un numéro qui le suivra toute sa vie, au registre public de la cinématographie du Centre national de la cinématographie (CNC). La commission du CNC, constituée par des représentants de producteurs, techniciens, comédiens et des membres de l'administration, contrôle la viabilité financière du projet. Après agrément, la production peut espérer obtenir une aide financière des fonds de soutien.

■■■■ Le producteur exécutif

☐ Lorsque le budget prévisionnel est bouclé et le film enregistré, la production désigne un producteur exécutif.

☐ Avant le tournage, il établit le plan de financement du film. Il met en place, avec le metteur en scène et ses proches collaborateurs, le plan de réalisation en tenant compte de deux paramètres essentiels : la disponibilité des acteurs et les lieux de tournage. Il signe les accords avec les fournisseurs (laboratoires, studios, décors, etc.). Pendant le tournage, il veille au quotidien, au maintien de la production dans le cadre financier du projet. Il libère le réalisateur de tous les problèmes matériels. Après le tournage, il supervise les travaux de laboratoire et de finition.

■■■■ Le régisseur

Le régisseur assiste le producteur. Il s'occupe des autorisations de tournage, des repérages, en liaison avec le premier assistant. Il gère au quotidien les besoins matériels d'un tournage : location d'un véhicule, des costumes, du matériel, etc. Il se charge de retenir les restaurants, les hôtels, réserve les billets de train ou d'avion.

PIERRE BRAUNBERGER :
DE RENOIR À LA NOUVELLE VAGUE

■ Un drogué de cinéma

« Je suis un drogué de cinéma, le court métrage est ma drogue douce, le long métrage ma drogue dure… » Ainsi s'exprimait Pierre Braunberger, qui apparaît comme une figure mythique du cinéma français. Né en 1905 dans un milieu bourgeois, il décide, dès son enfance, à la vue des films de Pierre Feuillade, de se consacrer au cinéma. Le bac en poche, son père l'envoie étudier en Allemagne. Il en profite pour acheter une caméra et réaliser ses premiers documentaires. Parti ensuite en Angleterre et aux États-Unis, il commence là sa vraie carrière de producteur. De retour en France à 20 ans, il fait la connaissance de Jean Renoir avec qui il se lie d'une profonde amitié. Commence une intense et riche collaboration d'où sortiront des chefs-d'œuvre : *Nana, La Chienne, Une partie de campagne…*

Pierre Braunberger devant l'affiche de *Une partie de campagne* de Jean Renoir.

distributeur des cinématographies étrangères. Il produit le premier film parlant français, réalisé par Robert Florey : *La Route est belle,* en 1930. Après la guerre, reparti de zéro, Braunberger continue la découverte de talents très divers : Jean Rouch, Pierre Reischenbach, Frédéric Rossif. Il est considéré, à juste titre, comme le père de la Nouvelle Vague, produisant les premiers courts métrages de François Trufffaut et de Jean-Luc Godard. Il a guidé aussi les premiers pas d'Alain Resnais, Jacques Rivette et Claude Lelouch.

■ Un découvreur de talents

En 1927, Braunberger se rend compte de l'importance du mouvement surréaliste. Il crée une maison de production qui finance la plupart des films d'avant-garde : ceux de Man Ray, Germaine Dullac, Luis Buñuel, A. Calvacanti, P. Duhamel…
En 1929, il décide d'ouvrir une salle de cinéma, le Panthéon, qu'il dirige jusqu'à sa mort, en 1990. Il projette les films étrangers en version originale et devient un

Le producteur selon P. Braunberger

Pierre Braunberger définissait le producteur comme « un homme qui lit beaucoup, qui va au théâtre, au café-théâtre, au music-hall, et qui voit beaucoup de films ; il doit se tenir au courant de toutes les manifestations artistiques de son époque. Il doit avoir des idées, de l'imagination, demander à des auteurs d'écrire sous sa direction des scénarios, choisir un metteur en scène, veiller à ce que celui-ci ne trahisse pas l'œuvre qu'il tourne (ce qui est beaucoup plus fréquent qu'on ne le croit), s'occuper du montage avec lui, du lancement du film, de sa promotion, et veiller à ce que les idées qui l'ont incité à produire le film soient mises en valeur lors de sa présentation au public. »
Y. Flot, *Les Producteurs – Les Risques d'un métier*, Paris, Hatier, 1986.

HISTOIRE

GENRES ET FORMES

RÉALISATION

PRODUCTION/DIFFUSION

TECHNIQUES

LIRE UN FILM

L'équipe de réalisation

Le metteur en scène ou réalisateur est le véritable auteur des images et des sons d'un film. Il est secondé par un premier assistant qui le dégage des problèmes matériels, et une scripte, secrétaire de plateau et véritable mémoire du film ; elle est chargée de veiller à sa continuité.

■■■■■ Le réalisateur

☐ Metteur en scène ou réalisateur ? La critique et le public utilisent régulièrement l'un ou l'autre terme sans savoir qu'ils recouvrent deux facettes d'un travail unique. Le metteur en scène dirige des acteurs de théâtre sur scène. Le réalisateur semble avoir une fonction plus technique. Les Américains préfèrent employer le terme de *director*. Cependant, tous les deux, à la manière d'un chef d'orchestre, dirigent acteurs et techniciens.

☐ En tant qu'auteur, le réalisateur est le garant de l'unité du film. Il participe à l'écriture du scénario et du découpage technique. Il choisit les acteurs principaux et définit les lieux de tournage. Pendant la réalisation, il met en scène les jeux des acteurs tout en dirigeant les équipes techniques. Après le tournage, il suit les opérations de finition : montage, mixage et étalonnage. Sous sa conduite, une équipe travaille dans un même but : créer un film.

■■■■■ Le premier assistant réalisateur

☐ Le premier assistant est recruté dès le début de la préparation du film. Il est associé à l'écriture, au casting, aux repérages. Il établit le plan de travail après avoir dressé les listes de tous les besoins nécessaires à la réalisation du film.

☐ Pendant le tournage, le premier assistant assure la bonne marche de l'organisation. Il rédige les feuilles de service, qu'il distribue à l'ensemble des équipes la veille du tournage. Ces feuilles détaillent les lieux de tournage, les heures de travail, les plans prévus. Il veille à ce que les aménagements du décor soient réalisés. Sur le plateau, il assure la discipline. Pendant le tournage d'un plan, il prépare tous les éléments nécessaires à la réalisation du plan suivant, dégageant ainsi le réalisateur de tous les problèmes pratiques.

☐ Le premier assistant est parfois secondé d'un deuxième assistant, en général chargé de suivre les acteurs pendant le tournage.

■■■■■ La scripte

Mémoire du film, elle est recrutée avant le tournage. À partir du découpage technique elle effectue, avec le réalisateur, le minutage de chaque plan et le minutage global du film. Elle veille au bon fonctionnement des raccords entre les différents plans et les prises. Elle s'assure que tous les plans ont été tournés suivant les durées prévues. Elle tient à jour le rapport image destiné au laboratoire, sur lequel elle note les prises que le réalisateur estime bonnes et qui sont donc à développer. Elle rédige le rapport de production qui précise les conditions de déroulement de tournage : incidents, retards, dépassements prévisibles, etc., destiné au producteur. Elle vérifie que le preneur de son tient rigoureusement un rapport des sons enregistrés.

LA DIRECTION D'ACTEURS

■ De la bride sur le cou...

Le rôle du directeur d'acteurs commence bien avant le tournage, parfois même dès le casting. Ainsi, Bertrand Blier affirme : « La direction d'acteurs se résume à cinq minutes de travail : quand on choisit l'acteur. Si on choisit bien, il n'y a aucun problème, si on se trompe, il n'y a rien à faire. »

Selon sa personnalité, le réalisateur laissera une plus ou moins grande indépendance à ses comédiens.

Olivier Assayas explique, à propos de ses acteurs : « Je les laisse très libres. Je ne vois pas en eux un matériau malléable, mais des coauteurs. Leur visage en dira toujours plus long que je ne pourrai écrire. »

Cette liberté peut être parfois très « surveillée » ! Ainsi, Chabrol a la réputation de laisser une grande autonomie à ses acteurs, mais ceci n'est vrai que dans une certaine mesure. Isabelle Huppert a cette formule : « Tourner avec Chabrol, c'est comme être un papillon dans un filet. »

La liberté surveillée de Chabrol s'accompagne souvent d'humour, témoin ce « timbre-billet » factice imprimé pour la sortie de son dernier film.

■ ... à une pointilleuse directivité

À l'encontre de ce type de réalisateurs, certains metteurs en scène font preuve d'une directivité exigeante. Les frères Taviani font recommencer inlassablement la même scène : chaque geste est prévu, réglé avec minutie, rire après un certain mot, lever les yeux à un moment déterminé, tout ceci avec une précision de métronome.

**L'apparente décontraction
des frères Taviani**

Cependant, quelle que soit la méthode, la direction d'acteurs est avant tout une relation privilégiée entre les acteurs et le metteur en scène. Si le réalisateur parvient à établir des relations d'estime, d'entente réciproque, il permet alors à l'acteur de se métamorphoser. Sandrine Bonnaire s'écrie, en parlant de ses relations avec le metteur en scène : « Je trouve que les sentiments, c'est ce qu'il y a de plus important, et quand on aime vraiment quelqu'un... moi, je pourrais monter au plafond ! »

HISTOIRE

GENRES ET FORMES

RÉALISATION

PRODUCTION/DIFFUSION

TECHNIQUES

LIRE UN FILM

Les techniciens son-image

La valeur d'un film dépend avant tout de la qualité de la prise de vue et de la prise de son, d'où la nécessité d'une équipe image et d'une équipe son en permanence sur le plateau. Vu la machinerie déployée, les techniciens employés sont nombreux et hautement qualifiés.

▬▬ L'équipe image

☐ Elle est placée sous la direction du chef opérateur image ou directeur de la photo. Il est le responsable du cadre et de la lumière. Avec le réalisateur, il choisit les objectifs de la caméra, les pellicules, l'éclairage. En fonction de ces choix, il détermine le matériel à utiliser. De ce fait, il participe à la définition de la tonalité générale du film.

☐ Le cadreur, sous sa responsabilité, compose l'image : échelle des plans, angles de prise de vue, mouvements de caméra, etc. Sur un court métrage, le chef opérateur est très souvent en même temps cadreur.

☐ L'assistant opérateur s'occupe de la caméra, il vérifie le matériel de prise de vue. Pendant le tournage, il est surtout responsable de la netteté de la prise de vue (le point) et de l'entretien du matériel. Il indique à la scripte la consommation de pellicule. Il rassemble, numérote et étiquette les boîtes de pellicules destinées au laboratoire.

☐ Le photographe de plateau réalise les photos de reportage et celles dites « photographies de plateau », qui serviront à l'exploitation et favoriseront la distribution et la promotion du film.

▬▬ L'équipe son

☐ L'ingénieur du son ou chef opérateur du son choisit son matériel en fonction de l'ambiance sonore déterminée par le réalisateur, par sa décision d'enregistrer un son direct ou seulement un son témoin.

☐ La prise de son doit tenir compte en permanence du cadre choisi et des mouvements de caméra. Le preneur de son doit déterminer la meilleure place du ou des micros et choisir le micro le mieux adapté au plan tourné.

☐ Le chef opérateur son est assisté par un perchman qui suit le déplacement des acteurs avec un micro fixé à l'extrémité d'une perche pour maintenir la continuité de la prise de son.

▬▬ Les électriciens et les machinistes

☐ Ils sont placés sous la responsabilité du chef opérateur. Le nombre de techniciens varie selon l'importance des films et les exigences du scénario. Cependant, tout tournage fait appel à une machinerie importante et spécialisée et, de ce fait, à un personnel qualifié.

☐ La réalisation de travellings réclame la mise en place de rails ; des mouvements complexes de caméra nécessitent, par exemple, l'utilisation de grues.

☐ Aussi bien en décor naturel qu'en studio, le cinéma utilise un éclairage spécifique. Les électriciens doivent tirer les lignes électriques pour alimenter les projecteurs et régler ceux-ci en fonction des désirs du réalisateur et du chef opérateur.

LE PHOTOGRAPHE DE PLATEAU

Roger Corbeau et l'éventail de « ses » stars.

■ Le photographe des stars

La photographie de plateau est apparue avec le cinéma muet, généralement c'était le chef opérateur qui était chargé de réaliser les portraits des stars.

Dans les années 20, les photographies de scène et les portraits des vedettes servaient de publicité, de vitrine, au film. Dès lors le photographe, attaché à l'équipe de réalisation, a créé un métier à temps complet.

Aux États-Unis, les grandes compagnies, les *Majors*, engageaient plusieurs photographes sur les films importants : un photographe était chargé de photographier les scènes, un autre s'intéressait aux comédiens, un troisième au reportage du tournage, etc.

En France, un seul photographe s'est toujours chargé de l'ensemble du travail. Présent pendant la durée totale du tournage, il fournissait à la production quelques centaines de photos qui servaient à la promotion du film.

■ L'évolution du métier

Les conditions de travail ont évolué. Jusqu'à la fin des années 70, après la prise de vue des plans du film, les comédiens se soumettaient à la séance de pose pour la photographie, ce qui nécessitait le plus souvent de modifier l'éclairage du plateau.

Aujourd'hui, l'évolution des appareils, des pellicules et des possibilités de traitement en laboratoire font que les photographies sont prises généralement pendant les répétitions ou les prises de vue.

Par ailleurs, sur certains films, il est de plus en plus fréquent que la production fasse appel à des agences photographiques qui photographient seulement les scènes importantes. Ces dernières tendent à supprimer ainsi le poste de photographe de plateau dans une équipe de tournage.

Roger Corbeau au travail sur le tournage du *Cheval d'Orgueil* de Claude Chabrol que l'on voit à l'arrière-plan.

HISTOIRE

GENRES ET FORMES

RÉALISATION

PRODUCTION/DIFFUSION

TECHNIQUES

LIRE UN FILM

Décor, costumes, maquillage

L'atmosphère d'un film dépend non seulement de la qualité de l'image et du son, mais aussi de celle du décor, des accessoires et des costumes.

Le décorateur

☐ Dès l'achèvement du scénario, le chef décorateur intervient dans la préparation du film et devient, de fait, coscénariste. Il doit tenir compte des souhaits, des choix esthétiques du metteur en scène, tout en restant dans le cadre d'une enveloppe budgétaire.

☐ En studio, le décorateur propose, au réalisateur et à la production, des croquis et des maquettes établies à l'échelle (par exemple, au 1/10). Elles permettent de visualiser ce que sera le décor, mais aussi de préparer les déplacements des acteurs, les mouvements de caméra et les éclairages. En extérieur, en décor naturel, des arrangements s'imposent : masquer une bouche d'incendie, un pylône électrique, recouvrir le goudron de paille ou de terre, par exemple.

☐ En France, le chef décorateur assure généralement la direction de la construction des décors. Il dirige une véritable entreprise. Les charpentiers bâtissent les carcasses du décor. Le « staffeur » moule sur les armatures de bois ou de toile un mélange de plâtre, de ciment et de glycérine. Les peintres peignent le staff qui devient un mur de briques, une boiserie du XVIIe siècle, une statue de Michel-Ange. Les menuisiers posent portes et fenêtres, les électriciens installent les lignes.

L'ensemblier et l'accessoiriste de plateau

☐ Le décor terminé, l'ensemblier habille la construction, termine l'arrangement intérieur. Il fait livrer le mobilier issu des réserves du studio, acheté ou loué à des antiquaires, des musées ou des particuliers.

☐ L'accessoiriste place les objets et les bibelots qui finalisent le décor. Il puise pour cela dans les réserves du studio, les loue ou les achète juste pour le tournage. Il s'occupe des petits trucages et doit faire preuve d'ingéniosité.

Le costumier et l'habilleuse

☐ Le costumier doit posséder de solides qualités artistiques et de bonnes références culturelles. Pour un film historique, il crée les costumes et les accessoires qui les accompagnent. Il peut aussi les louer dans des maisons spécialisées. Certaines maisons de haute couture habillent les acteurs vedettes contre une simple citation au générique du film.

☐ L'habilleuse surveille, regroupe et entretient les costumes des comédiens.

Le maquilleur et le coiffeur

☐ Les maquilleurs préparent le visage des acteurs à affronter les éclairages. Ils se chargent des effets spéciaux : blessures, vieillissement, etc.

☐ Les coiffeurs mettent en forme la chevelure des comédiens. Dans le cas d'un film historique, ils se chargent d'installer et d'entretenir perruques et postiches.

AN AMERICAN IN PARIS

■ Minnelli : le talent en tout

Minnelli était un réalisateur qui ne laissait rien au hasard, un grand travailleur s'impliquant entièrement dans ses films, choisissant les décors, les costumes, le moindre objet. Minnelli savait unir dans un film toutes les formes artistiques. Ses films sont riches de références à la peinture, la musique, la danse, la littérature, le cinéma et le théâtre.

Dans *An American in Paris*, le décor s'inspire d'une série de tableaux de peintres français. Le ballet s'ouvre dans l'univers de Dufy, se continue dans le marché aux fleurs de Renoir, dans une rue déserte d'Utrillo, traverse le parc zoologique du douanier Rousseau. Gene Kelly devient « Chocolat Dansant » et côtoie « La Goulue » et « Valentin le désossé » de Lautrec.

Les dernières minutes d'un film mythique.

Gene Kelly (photo de droite) devient le « Chocolat dansant » (ci-dessous) de Toulouse-Lautrec.

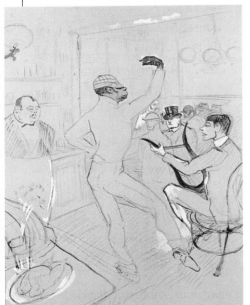

An American in Paris s'achève sur un splendide ballet interprété par Leslie Caron et Gene Kelly, au milieu des changements de scènes, de décors, de costumes (plus de 500).

Ce ballet, dont Gene Kelly a signé la chorégraphie sur une musique de George Gershwin, est la projection des rêves du héros, peintre de son état, et traduit ses états d'âme : ses désirs, ses espoirs, ses joies, ses peines.

HISTOIRE

GENRES ET FORMES

RÉALISATION

PRODUCTION/DIFFUSION

TECHNIQUES

LIRE UN FILM

Les comédiens

Depuis Hollywood, le cinéma de fiction repose sur les acteurs. La presse, la publicité ont créé et encouragé le star-system. Aujourd'hui, les vedettes, les stars participent grandement au succès public d'un film. Mais un film se fait aussi avec des seconds rôles, des figurants et des cascadeurs que l'on appelle, à tort, les obscurs.

■■■■■ L'acteur au cinéma

☐ Le cinéma a emprunté au théâtre le jeu des comédiens. Cependant, la position du spectateur et le travail du comédien présentent des différences.

☐ Au théâtre, le spectateur est invité à suivre dans la continuité les personnages de la pièce. Il regarde sur scène les comédiens dans leur décor.

☐ Au cinéma, le spectateur adopte le point de vue du metteur en scène qui l'amène à déchiffrer dans le regard, sur le visage des comédiens, les pensées du personnage. Le jeu s'en trouve très fortement intériorisé. L'acteur de cinéma ne bénéficie pas de la réaction du public. Le film ne se tourne pas dans la continuité temporelle. Chaque scène découpée en de multiples plans et de multiples prises oblige le comédien à interpréter plusieurs fois la même situation et à retrouver chaque fois l'émotion juste. Ce n'est que tardivement qu'il connaît les résultats de son travail, lors de la projection.

■■■■■ La star

☐ Longtemps le cinéma, en particulier celui d'Hollywood, a mis en valeur l'acteur, l'a glorifié : ainsi naquit la star, dont le metteur en scène ne semblait être qu'un faire-valoir.

☐ Le star-system divinise l'acteur, le magnifie et lui confère un statut mythique qui exerce une fascination sur le spectateur. Il est, aux yeux de son public, un véritable héros, paré de toutes les vertus, à l'écran comme dans la vie privée. La star est également le reflet de son époque dont elle incarne bien souvent les aspirations.

■■■■■ Les seconds rôles et les obscurs

☐ Les premiers rôles étant distribués, le directeur de casting complète la distribution en contactant des agents artistiques, en compulsant des recueils de photographies, en visionnant des cassettes vidéo ou en utilisant ses relations. Il se charge de négocier l'engagement des seconds rôles et des figurants.

☐ Le cinéma français a longtemps donné la part belle aux seconds rôles. La qualité de la production des années 30 et 40 tient en partie aux rôles et aux interprétations de Pauline Carton, Jeanne Marken, Carrette, Robert Le Vigan, Raymond Bussière entre autres. Quelques-uns ont pu accéder au premier plan comme Louis de Funès ou Michel Serrault.

☐ La production fait appel au service de cascadeurs professionnels. Suivant le type de films, le directeur de casting engage des professionnels très divers, du maître d'armes au dresseur d'animaux en passant par un chorégraphe ou un chanteur d'opéra.

☐ Le cinéma fait aussi appel à un plus ou moins grand nombre de figurants recrutés souvent par le système des « Petites annonces ».

**Ingrid
Bergman**

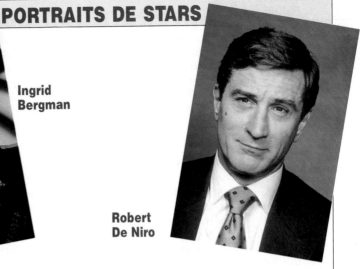

**Robert
De Niro**

Ingrid Bergman est née à Stockholm en 1915. C'est là qu'elle débute au Théâtre royal à l'âge de 17 ans et devient rapidement une des actrices les plus en vue du cinéma suédois.

En 1939, Selznick l'appelle à Hollywood où l'actrice commence une carrière de premier plan. Elle tourne avec les plus grands réalisateurs et incarne tour à tour des personnages idéalisés comme dans *La Maison du Dr Edwardes* (Hitchcock, 1948), ou ambigus : *Hantise* (Cukor, 1944), *Casablanca* (Curtiz, 1942).

En 1949, elle choisit de tourner avec Rossellini qu'elle admire en tant que réalisateur et qu'elle épousera. Elle renonce ainsi à son statut de star. Rossellini filme sans artifice la femme étrangère dans l'Italie des années 50 avec *Stromboli*, 1951 ; *Europe 51*, 1952 ; *Voyage en Italie*, 1953.

Elle quitte Rossellini pour terminer sa carrière à Hollywood. Les rôles qu'elle obtient n'ont peut-être pas le lyrisme des années 40. Cependant, sa carrière cinématographique, après son retour en Suède, trouve, en 1977, un couronnement avec *Sonate d'automne,* d'Ingmar Bergman.

Arrière petit-fils d'immigré italien, il naît à New York en 1943. Dès l'âge de 16 ans, il fréquente les cours d'art dramatique et passe ainsi par l'Actor's Studio.

Sa formation le conduit devant la caméra, notamment pour trois films de Brian De Palma. En 1974, avec *Le Parrain II* de Coppola, il devient une star internationale. De Niro s'impose comme acteur de composition aux rôles très variés : jeune marginal écervelé (*Mean Streets*, Scorsese, 1973), saxophoniste de jazz (*New York, New York*, Scorsese, 1977), grand propriétaire terrien italien (*1900*, Bertolucci, 1976), le diable en personne (*Angel Heart*, Parker, 1987)… Il propose des variations très contrastées dans ses interprétations de gangsters : *Le Parrain II*, *Les Incorruptibles* (De Palma, 1987) *Les Affranchis* (Scorsese, 1990).

Son talent incontestable lui permet de répondre aux exigences des metteurs en scène tout en affirmant son style. Dans *Casino* (Scorsese, 1995), la sobriété de son interprétation est à la fois celle, exigée par Scorsese, d'un personnage qui masque toute réaction affective, et celle d'un grand acteur chez qui l'émotion n'a plus à s'exprimer par la mimique.

HISTOIRE

GENRES ET FORMES

RÉALISATION

PRODUCTION/DIFFUSION

TECHNIQUES

LIRE UN FILM

La préparation du tournage

Les choix techniques et artistiques définis, le casting bouclé, le tournage peut commencer. Cependant, avant que ne résonne le traditionnel : « Silence, on tourne ! », une préparation minutieuse est nécessaire. Elle permet d'établir un plan de travail rigoureux pour les acteurs et les techniciens.

Les dernières autorisations

Le directeur de production ou producteur exécutif prépare le dossier d'agrément auprès du Centre national de la cinématographie (CNC). Une commission du CNC contrôle la viabilité financière du projet. Elle est constituée de représentants de producteurs, techniciens, comédiens et de membres de l'administration. La commission vérifie la conformité des conditions de travail aux conventions collectives de la profession. Avec l'agrément, la production peut espérer obtenir une aide financière des fonds de soutien.

Le dépouillement

En se basant sur le découpage technique, le réalisateur établit, pour chaque scène, la liste des besoins nécessaires à sa réalisation : le nombre de personnages (principaux, secondaires, figurants), les divers lieux de tournage, les décors, la quantité de costumes et d'accessoires. Ce dépouillement lui permet de faire établir des devis précis qui l'aideront dans sa négociation avec le directeur de la production. C'est au vu de ce travail, par exemple, que seront décidées les scènes tournées en décor réel et celles tournées en studio, et donc le nombre de décors à construire.

Les repérages

Le réalisateur et son premier assistant, en liaison avec le producteur exécutif, procèdent aux différents repérages des lieux de tournage extérieur. Le chef opérateur le décorateur et l'ingénieur du son sont amenés à exprimer leur avis sur les lieux retenus.

Le plan de travail

☐ La durée du temps global de tournage est précisée en fonction de la disponibilité des acteurs, de la possibilité d'accès aux studios et selon la saison choisie. En studio ou en intérieur réel, les heures de tournage sont généralement fixées entre 12 h et 19 h 30.

☐ En extérieur, la prise de vue dépend de la durée du jour et de l'intensité de la lumière. En hiver, le travail ne peut commencer avant 9 h et il doit s'achever à la nuit tombante, vers 17 h, avec une courte pause dans la journée. En été, la journée commence plus tôt et s'achève plus tard, la pause est plus longue. L'arrêt est plus long, il est rendu nécessaire quand le soleil est au zénith entre 12 h et 15 h. Ce sont les lumières latérales qui permettent les plus beaux contrastes.

☐ Le premier assistant prépare le plan de travail qui se présente généralement sous la forme d'un tableau. Les jours de tournage sont placés en abscisse ; en ordonnée sont indiquées les charges de réalisation : plans à tourner, acteurs à convoquer, décors, accessoires…

EXEMPLE D'UN PLAN DE TOURNAGE

Day or Nite: AM ■ | AM | AM | AA ■

Period 1 SEMAINE DU 26 au 31 AOUT: 1J | 1J | 1P. ½J | 1J | ½J | ½J

Sequence: 8A | 12A | 14 | 19 | 14 | 14A | 15A-12 | 8 | 24 | 25

HORAIRES

CO-PROD : FEUX & ANGES S.A · CINEDIA
KHANAOS (PARIS)
SEPTIMANIA FILMS (BARCELONE)
FRIEDLANDER PRODUKTION (HAMBOURG)

Title « WOYZECK » P.D.T N° 2 AU : 1/07/91

Director GUY MARIGNANE
DIR. DE PROD. FANNIE SCHMIDT
Asst. Dir. JC DELPIAS / **DIR PHOT** : S GUEZ

6 SEMAINES DE TOURNAGE EN FRANCE ET ESPAGNE
EXT. SALSES - SALAGOU - PEZENAS

Character	Artist	No.	EXT. DOCTEUR	EXT. CAPITAINE	CROISEMENT RUELLES	CROISEMENT RUELLES	CROISEMENT RUE	CROISEMENT RUE	EXT RUE / INT. CAPITAINE	INT. DOCTEUR	INT. MARCHAND	INT. CASERNE
WOYZECK	G. MARCANTOGNINI	1	1			1	(1)	1	1 1	1	1	1
MARIE	A. SCICLUNA	2										
KARL	T. MELET	3										
ANDRES	M. BODNAR	4				4						4
CAPITAINE	M. LONSDALE	5					5	5	5			
DOCTEUR	J.P. SENTIER	6		6	6		6	6		6		
BONIMENTEUR	G. LAZURE	7										
MARCHAND	A. PIGOT	8									8	
TAMBOUR MAJOR		9		Dg								
GRANDMERE		10										
MARGUERITE	E. VÖRÖS	11										
PROST. FOIRE		12										
E#1	A. MANOURI	13										
E#2	N. SERVAN	14										
AVEUGLE		15										
		16										
FEMME EGLISE	C.I. COTTENÇEAU	17										
DANSEUSE		18										
LILLIPUTIEN		19										
CRACHEUR FEU		20										
JOUEUR D'ORGUE		21										
CHANTEUSE ORGUE		22										
TAMBOURS CHEVEUX = 4		23										
NAINS + BOYS = 4		24										
REINE FOIRE	A. ZAMBERLAN	25										
HOMME BAGARRE	CASCADEUR	26										
		27										
TRAPEZISTE		28										
VIOLONISTE	R. COHEN-SOLAL	29										
NAINS CHAPIT. X3		30										
5 MUSICIENS		31										
RENFORT MAQ / COIFF / HAB		32										
DOUBLURE TAMBOUR-MAJOR		33		D								
		34										
REGLEUR CASCADE		35										
FIGURATION	HOMMES	36	1									
	FEMMES	37										
	ENFANTS	38										
SFX		39		B+V			BV	BV				
GRUE		40			G							
STEADYCAM		41										

HISTOIRE

GENRES ET FORMES

RÉALISATION

PRODUCTION/DIFFUSION

TECHNIQUES

LIRE UN FILM

Le tournage

Un ordre strict préside à la journée de tournage. Aux répétitions des acteurs et aux réglages techniques succède le tournage proprement dit. La fin des prises de vue ne signifie pas la fin de la journée de travail pour l'ensemble de l'équipe du film, le visionnement des rushes en soirée étant un des moments le plus important de la journée.

▬▬▬ Le prêt à tourner

Enfin arrive l'heure du premier tour de manivelle, du PAT (prêt à tourner). Le réalisateur explique avec précision ce qu'il attend de la prise à venir. Il expose le jeu attendu, il précise le cadre, les effets de son et de lumière. La scripte note soigneusement tous les détails de la mise en place. Les répétitions peuvent commencer, la prise est simulée. Le réalisateur décide de la fin des répétitions lorsqu'il estime que tous les problèmes artistiques ou techniques semblent résolus.

▬▬▬ « Silence, on tourne ! »

☐ Le premier assistant demande le silence, en studio s'allume le rouge qui interdit l'accès au plateau, un coup de klaxon retentit. Le silence s'établit.
« Moteur ! lance le réalisateur.
– Ça tourne, répond l'ingénieur du son.
– Annonce ? » demande le cadreur qui vient de mettre en route sa caméra. Le clapman s'avance, présente sa claquette (le clap) devant l'objectif. Il annonce d'une voix haute et intelligible le titre du film, le numéro du plan et de la prise :
« Faire un film ! plan 1 ! prise 1 ! »
☐ Le clapman ferme d'un coup sec la claquette, avant de sortir du champ. Cette opération permet, au moment du montage, le synchronisme du son et de l'image enregistrés séparément. « Action ! » crie le metteur en scène. La scripte déclenche son chronomètre.
☐ Après chaque prise, le réalisateur consulte ses principaux collaborateurs pour leur demander leurs impressions. La prise est recommencée autant de fois que le réalisateur l'exige, en suivant le même rituel.

▬▬▬ Après le tournage

☐ Les techniciens procèdent minutieusement au rangement de leur matériel. L'assistant réalisateur distribue les feuilles de service du lendemain. Le metteur en scène et la scripte récapitulent le nombre de plans tournés, les cochent sur le découpage et le plan de travail. Ils font le point sur le minutage utile. La scripte termine son rapport de production.
☐ L'assistant opérateur range la pellicule, étiquette chaque boîte. Il vérifie avec la scripte le rapport image, les prises à développer par le laboratoire. Celles-ci sont notées, encerclées sur le rapport. L'assistant se charge alors de remettre les pellicules à la production, qui les envoie au laboratoire. L'ingénieur du son établit son rapport son avec la scripte.
☐ En soirée, le réalisateur et les principaux collaborateurs vont visionner les plans tournés et développés la veille ou l'avant-veille. Le visionnement des rushes est important, il permet de constater les résultats d'une journée de tournage qu'il est de toute façon difficile de remettre en cause.

LA FEUILLE DE SERVICE

La veille du tournage, le premier assistant distribue la feuille de service à chaque collaborateur. Elle comporte le lieu, l'heure de convocation, la liste des costumes et accessoires. Deux heures avant le début du tournage, les décorateurs achèvent la mise en place du mobilier, des accessoires. Le chef opérateur contrôle l'implantation des projecteurs et procède à leur réglage avec le chef électricien. Les techniciens son se mettent en place. Les acteurs sont confiés au maquillage, à la coiffure, puis à l'habillage.

Feuille de service du : *30/09/95 et 01/10/95*

Production : *Australis Production*
Tél : *90 60 59 73*
Lieu de rendez-vous : *Gare d'Avignon*

Film : *NUIT*

Horaire : *9 h 30*

Jour de tournage : *30/09/95 et 01/10/95*

Lieu de tournage : *Auberge d'hôtes à Vedène.*

Pause : *13 h à 14 h ; 21 h à 22 h, 4 h à 4 h 30, 10 h à 10 h 45*

Décor : *La chambre Moufida, la cage d'escalier et le hall*
Plans à tourner : *Tous*
Ambiance : *Nuit d'été*

Séquence : *Toutes*
Lumière : *Nuit*

Acteurs : *Fatiha Atmani*

Rôles : *Moufida*

Costumes : *Robe traditionnelle*

Maquillage : *Fond de teint chair très clair, fond de teint chair très foncé, colle à postiches.*

PAT : *22 heures*

Figuration : *Oui*

Femmes :

Hommes : *40 hommes barbus, habillés de gandouras blanches et coiffés de chéchias ; sous les gandouras jeans et baskets (Nike, Reebok,...)*

Enfants :

Décor et accessoires : *Chambre, bibliothèque, livres, disques, tableau nu, télé, table de chevet, lampe de chevet, livre de Mimouni, voile, voile noir, réveil, couteaux, bureau, petit tableau, table basse, fauteuils.*

Effets spéciaux : *Transpiration, barbes postiches, ventilation.*

Image : *Caméra Aaton 16 mm + objectifs*

Son : *Nagra + micro Sennheiser demi-canon + perche + suspension + bonnette + morceau de moquette.*

Éclairage : *1 HMI 2500/20 Mandarines 800 et 1000.2 m 1/2 80 et 1/4 80 (Gélat) 3 petits barracudas, 4 moyens et 3 grands avec rallonge.*

Machinistes : *1 électro.*

Véhicules, animaux :

Régie : . . . .

Observations : . . . .

HISTOIRE
GENRES ET FORMES
RÉALISATION
PRODUCTION/DIFFUSION
TECHNIQUES
LIRE UN FILM

Le montage et le mixage

Les images et les sons enregistrés au cours du tournage, lorsqu'ils reviennent du laboratoire, sont des éléments isolés qu'il convient d'assembler et d'organiser suivant la chronologie du découpage technique. Le montage des images et le mixage des sons donnent au film sa forme définitive.

La réalisation de la copie de travail

☐ Dans la salle de montage, le monteur se trouve devant des rouleaux d'images positives tirées d'après le négatif du film (le négatif est précieusement conservé par le laboratoire). Il dispose aussi de bandes magnétiques sur lesquelles ont été enregistrés les sons directs.

☐ La première opération consiste à synchroniser les images et les sons, cette opération est rendue possible par l'enregistrement du clap au début de chaque prise. Sur la bande image, on trace une indication sur l'image précise où les deux mâchoires du clap se referment. Sur la bande son, on place également une indication à l'endroit exact où s'entend le début de l'enregistrement du son du clap.

☐ Le monteur et son assistant effectuent ensuite le dérushage, c'est-à-dire qu'ils procèdent au choix des prises à monter. Chaque prise de chaque plan est soigneusement analysée, en tenant compte des observations du rapport effectué par la scripte lors du tournage.

☐ Les prises conservées sont montées dans l'ordre défini par le découpage technique. On prélève sur les rushes la partie utile, c'est-à-dire celle qui commence après le clap et se termine juste avant le « coupez » du metteur en scène. On obtient la première version non dégrossie du film, nommée « ours ».

Le montage image son

☐ Commence alors la patiente étape de dégrossissage et d'assemblage qui peut donner au film toutes ses richesses ou compromettre toutes ses qualités. Le premier travail consiste à monter image et son direct, effectuer les raccords, chercher les points de coupe idéaux. Sur la table de montage, le film trouve son rythme.

☐ Si le son direct enregistré lors du tournage est destiné à être conservé, il est nettoyé de tous ses parasites : bruits non souhaités, variations de niveaux sonores, etc. Aux sons directs vont s'ajouter progressivement d'autres bandes son : voix *off*, raccords de dialogue, bruitage, musique, etc. On peut compter plus d'une dizaine de bandes sonores pour un film de long métrage.

Le mixage

☐ Le mixage consiste à réunir le mélange des différentes pistes sonores, en une piste unique dans le cas d'un son mono, ou en pistes parallèles dans le cas d'un film diffusé en stéréo. Le mixeur doit respecter scrupuleusement les points d'entrée et de sortie des sons tels qu'ils ont été prévus au montage. Il assure un mélange équilibré des bandes en intervenant sur chacune d'entre elles, sur son volume, sa tonalité, etc.

☐ Pour les films destinés à l'exportation, on réalise une version internationale, c'est-à-dire une copie du film comportant seulement les bruits et la musique. Les diffuseurs étrangers font postsynchroniser les dialogues.

PROFESSION : MONTEUR

■ Dans la salle de montage

Le monteur règne sur son domaine : la salle de montage. La table de montage est la pièce essentielle du dispositif. Elle permet de visionner et d'écouter simultanément les images et les sons que l'on veut assembler. À côté se trouve la presse avec laquelle on peut couper puis coller, avec un scotch spécial, la pellicule comme la bande son. Sur le chutier, on accroche les rushes numérotés au crayon blanc, en séparant les prises gardées de celles qui sont écartées. Les morceaux de pellicule sont accrochés à des clous sans tête par une de leurs perforations.

■ Le travail proprement dit

Le travail du monteur consiste à rendre les intentions du réalisateur directement visibles à l'écran. Le monteur apporte un œil neuf, objectif, sur les images tournées. En France, le chef monteur est généralement choisi par le metteur en scène, sur une base de confiance réciproque. En relation avec le réalisateur il accomplit une réécriture du film. Aux États-Unis, le producteur peut jouer de son droit de *final cut* c'est-à-dire que le film peut être entièrement monté sans l'avis du réalisateur.

Le chef monteur a une véritable responsabilité artistique qu'il partage avec le réalisateur. C'est lui qui détermine les coupes, impulse le rythme. Il peut être amené à proposer des modifications dans la construction narrative.

L'assistant monteur effectue généralement les collures aux emplacements définis par le chef monteur, en veillant au synchronisme image et son. Il est chargé de classer les fragments de pellicule sur le chutier.

■ Le montage vidéo

L'introduction du montage vidéo risque de modifier les conditions de travail. Dans cette technique encore peu utilisée, les rushes sont transférés sur un vidéodisque. Sur un écran d'ordinateur, le monteur peut virtuellement voir s'afficher le film en tapant les codes d'entrée et de sortie des plans sélectionnés. Sur ce film virtuel, les trucages peuvent se préparer, grâce aux effets vidéo. Le brouillon ainsi réalisé sert de modèle.

Monteuse devant sa table de montage.

HISTOIRE
GENRES ET FORMES
RÉALISATION
PRODUCTION/DIFFUSION
TECHNIQUES
LIRE UN FILM

Les travaux de laboratoire

> **Au laboratoire, à l'abri de la poussière, le film subit les dernières modifications : trucage, effets spéciaux… qui lui donneront son aspect définitif.**

■■■■ La conformation et l'étalonnage du négatif

☐ À partir de la copie de travail, on conforme le négatif, c'est-à-dire qu'on réalise le négatif définitif à partir des rushes soigneusement stockés dans le laboratoire.

☐ Les variations de luminosité et de chromatisme d'un plan à un autre apparaissent inévitablement lors du développement, malgré toutes les précautions apportées par le chef opérateur. À partir de la copie de travail, l'étalonneur, en accord avec le chef opérateur et le réalisateur, effectue la correction plan par plan. Il modifie l'intensité du tirage en déterminant le diaphragme et il influe sur les couleurs en choisissant des filtres appropriés.

■■■■ Le report optique du son mixé

Les sons ont été enregistrés sur une bande magnétique, ils vont être rapportés sur de la pellicule photographique afin d'obtenir un négatif son qui sera placé sur le bord du film, sous forme de variations ondulatoires.

■■■■ Les trucages et les effets spéciaux

☐ Le banc-titre permet de réaliser titres, sous-titres et génériques. Il est constitué, d'une part, d'une caméra placée verticalement et pouvant se déplacer le long d'une colonne et, d'autre part, d'une table horizontale sur laquelle on dispose les documents à filmer. Les titres ont longtemps été peints à la main. Les caractères d'imprimerie, puis les Letraset ont pris le relais. Actuellement, la méthode employée est la photocomposition par ordinateur, qui permet de choisir le type de caractères, leur taille, la disposition des textes. Lorsque la page est jugée satisfaisante, elle est transférée sur un système laser qui impressionne une surface sensible avec une très haute définition.

☐ Nombre d'effets spéciaux sont obtenus sur des tireuses optiques, composées d'un appareil de prise de vue synchronisé avec un projecteur qui fait défiler le film à truquer.

■■■■ La première copie standard

☐ Dans une tireuse défilent, parfaitement synchronisés, le négatif image et le négatif son. Ils impressionnent le film positif. Celui-ci, une fois développé, sera la copie standard. Il apparaît souvent nécessaire de tirer plusieurs copies en précisant à chaque fois l'étalonnage pour rechercher l'équilibre définitif des tirages. Lorsque le réalisateur est satisfait, il signe un bon à tirer, l'exploitation peut commencer.

☐ Lorsqu'il est envisagé de projeter sur les écrans plus de dix copies du film, et afin de ne pas abîmer le montage négatif, le tirage des copies de série s'effectue toujours à partir d'un contretype négatif. On tire dans un premier temps une copie positive : l'interpositif lavande ou marron (appelé ainsi du fait de la couleur dominante) qui permet de tirer le duplicata, ou contretype négatif.

LE LABORATOIRE

■ Cinedia

En France, à la veille de la Seconde Guerre mondiale, il existait vingt-cinq laboratoires de taille diverse répartis sur l'ensemble du territoire. Les progrès techniques demandant d'importants investissements de nombreux laboratoires doivent fermer leur porte. Actuellement, il n'en reste plus que six regroupés autour de Paris.

Le laboratoire Cinedia situé à Épinay-sur-Seine a été fondé en 1977. C'est un petit laboratoire qui emploie une trentaine de personnes, et offre des services particuliers. Cinedia s'est spécialisé dans les tirages des films à petites séries (moins de 15 copies), le développement et le tirage des films noir et blanc de moins en moins produits. Le laboratoire restaure des vieux films qui demandent des compétences techniques particulières. Le travail exige le nettoyage minutieux des films, la réfection de nombreuses perforations, le tirage image par image, la restauration partielle ou complète de la bande son. Par ce travail minutieux, long et difficile, le laboratoire cherche à retrouver l'atmosphère originale de l'œuvre.

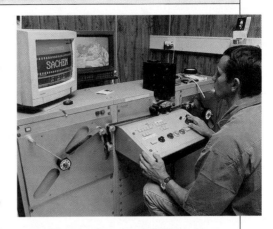

La Truca

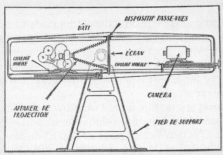

La Truca est une tireuse optique qui offre de nombreuses possibilités : effectuer le travelling optique, modifier l'échelle de l'image, effectuer le recadrage, la réduction, l'agrandissement et donc le gonflage de format S 16 mm en 35 mm.

Par anamorphose, elle permet d'intégrer des images de films standards dans des films de format scope. Avec la Truca se réalisent les superpositions d'images prises avec des caches et des contre-caches. Le temps est maîtrisé : les accélérés, les ralentis et les arrêts sur images sont à l'heure actuelle réalisés sur tireuse optique.

HISTOIRE

GENRES ET FORMES

RÉALISATION

PRODUCTION/DIFFUSION

TECHNIQUES

LIRE UN FILM

Les sociétés françaises de production

Les sociétés françaises de production ont pour rôle essentiel de financer les films français. Les plus importantes sont contrôlées par de grands groupes industriels et financiers.

La production cinématographique

Depuis les années 80, le nombre de films produits en France tourne autour de 130 à 140 par an. Sur ce total, une centaine est considérée comme « d'initiative française », c'est-à-dire que ces films sont financés uniquement ou majoritairement par des capitaux français. Une trentaine de films sont réalisés en coproduction internationale, les sociétés françaises apportant un capital minoritaire.

Les grandes sociétés de production

☐ En France, la production est dominée par quelques sociétés qui financent des films à gros budget en moyenne deux fois supérieur au budget moyen des films français. Ces productions reposent sur le vedettariat et le star-system.

☐ Les *Majors* : Gaumont, Pathé et UGC, contrôlent non seulement un réseau de salles mais jouent aussi un rôle essentiel dans la distribution et la production. Parmi ces sociétés, Gaumont est l'acteur principal avec quatre ou cinq films d'initiative française et un ou deux films en coproduction internationale.

☐ Près de la moitié des films d'initiative française sont produits avec la participation des chaînes de télévision et pratiquement toujours avec celle de Canal+. La chaîne cryptée intervient directement par le biais des Studios Canal+ et indirectement par l'intermédiaire de sociétés dont elle détient une partie du capital, en particulier les sociétés Films Alain Sarde et Chrysalide Films.

☐ Le cinéma, comme l'ensemble du secteur audiovisuel, est financièrement contrôlé par des grands groupes industriels et financiers. Ainsi Alcatel et la Générale des Eaux contrôlent non seulement Canal+ et ses filiales cinématographiques, mais elles ont une participation dans le capital d'UGC. Bouygues est à la tête de TF1 et possède la société de production Ciby 2000, Hachette a créé Hachette Première, etc.

Les moyennes et petites sociétés

☐ Depuis quelques années, une dizaine de maisons de production indépendantes de grands groupes financiers ou industriels jouent un rôle essentiel dans la production de films français. Parmi elles, Téléma, MK2, les Films du Carrosse, Lazennec Production, Gemini, Films 13, Salomé, Film par Film, etc. Ces sociétés mettent en chantier deux ou trois films, en moyenne, par an. Elles disposent de budgets moyens mais font souvent preuve de rigueur et de créativité.

☐ Certaines sociétés concentrent leurs efforts sur un film à petit ou moyen budget. Il s'agit en général d'un premier long métrage. Malgré le coût relativement peu élevé de la production, les risques sont importants. Ne bénéficiant pas de l'apport de *Majors* ou des chaînes de télévision, le film court le risque de ne pas avoir de diffusion en salles ni de diffusion télévisuelle. Certains films peuvent se révéler une réussite, l'originalité et la créativité des réalisateurs compensant bien souvent l'absence de moyens.

LES PARTICIPATIONS CROISÉES

Ce schéma montre les liens financiers qui existent entre les groupes industriels Alcatel, Générale des eaux et le groupe de communication Havas par le biais de participations croisées. Le rapprochement est sensible dans le domaine de la télévision, avec le contrôle commun de TMC et de chaînes télématiques, en particulier de cinéma. Les liens permettent des montages financiers dans le domaine cinématographique.

Schéma des liens financiers
(en %)

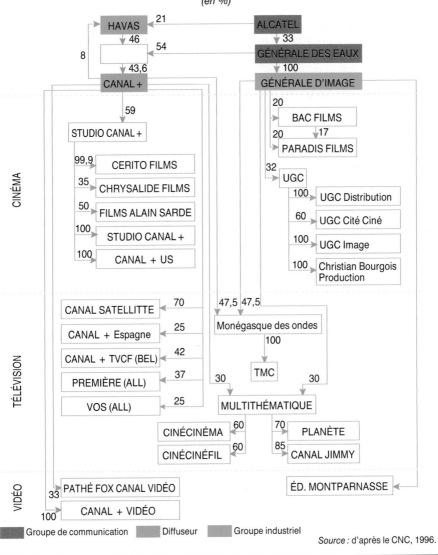

Source : d'après le CNC, 1996.

HISTOIRE

GENRES ET FORMES

RÉALISATION

PRODUCTION/DIFFUSION

TECHNIQUES

LIRE UN FILM

Le financement

Rassembler les fonds nécessaires à la réalisation d'un film est la première étape dans la mise en chantier d'une production. Elle incombe au producteur. Les coûts sont souvent variables et les montages financiers très complexes. La télévision est devenue en quelques années, un partenaire financier incontournable.

Un coût variable

Le budget moyen d'un film de fiction était, en France, ces dernières années, de 25 millions de francs pour huit à dix semaines de tournage. Cependant, le coût d'un film varie de quelques millions de francs à plusieurs centaines, selon la distribution, l'importance de l'équipe technique, la durée et les conditions du tournage.

Un montage financier souvent complexe

Il est rare qu'une société de production possède la totalité des capitaux nécessaires à la mise en œuvre d'un film. La majeure partie des films se réalise donc sous forme de coproduction. L'appel au crédit bancaire, les avances consenties par les studios, les laboratoires, la participation de techniciens ou d'interprètes, sont des recours obligés pour de nombreux films à petit budget.

Le poids grandissant de la télévision

La télévision occupe une place essentielle et grandissante dans le financement du cinéma. Les chaînes de télévision sont à l'origine du déclin de la fréquentation des salles ; cependant, l'audience maximale obtenue par ces chaînes vient de la diffusion de films sur le petit écran. Elles sont donc tenues d'investir dans un secteur qui, de ce fait, n'est pas concurrentiel. Il paraît difficilement envisageable de produire un film à moyen ou à gros budget sans l'engagement financier d'une des grandes chaînes généralistes.

Les aides

☐ La France présente l'originalité de posséder, à travers le CNC, un organe de régulation unique au monde et un instrument performant pour le renouvellement créatif. Le CNC favorise la production par un système d'aides à l'écriture et à la réalisation de premier ou deuxième film. Il participe aussi, grâce à des avances sur recette, à la mise en chantier de films plus importants.

☐ Pour inciter les productions à venir tourner sur leur territoire, certaines régions (Rhône-Alpes, Languedoc-Roussillon, en particulier) apportent un soutien financier non négligeable.

☐ Dans le cas d'une coproduction entre trois pays européens, le film peut recevoir des aides de la Communauté européenne. Il faut alors à la fois bâtir un plan de financement et établir une distribution avec des partenaires de diverses nationalités.

☐ Les producteurs peuvent espérer l'aide financière de sociétés spécialisées (Sofica), gérées par des organismes bancaires et financées par des entreprises qui investissent, dans la production cinématographique, des sommes déduites de leur imposition.

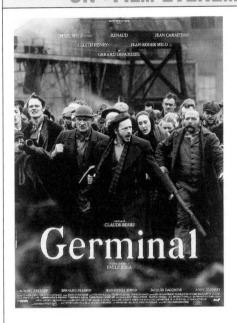

Budget prévisionnel

1) Producteur-délégué :	
Renn-Production	20 250 000 F
2) Fonds de soutien producteur :	
Renn-Productions	20 000 000 F
3) Coproduction télévision	
France 2/Canal +	10 000 000 F
4) Aides sélectives :	
– Eurimage	3 500 000 F
– Éducation nationale	4 600 000 F
– Ministère de la Culture	200 000 F
5) Aides locales :	
Région Nord-Pas-de-Calais	10 000 000 F
6) Sociétés Soficas et Sofiarp	1 000 000 F
– Investimage	1 000 000 F
7) Préventes et garanties :	
France 2	14 000 000 F
Canal +	20 000 000 F
AMLF	25 000 000 F
Vente Éducation nationale	2 300 000 F
TOTAL	131 850 000 F

■ Le film le plus cher du cinéma français

Une distribution prestigieuse (Depardieu, Miou-Miou, Renaud, Carmet), la participation de 8 000 figurants, la construction des décors qui ont permis de reconstituer une ancienne mine, un tournage qui a duré 6 mois, ont porté le budget du film à 165 millions de francs (au lieu des 132 initialement prévus). Un record pour une production française.

■ L'exploitation d'un « film événement »...

Germinal, de Claude Berri, est produit par le groupe Pathé qui investit dans la production par le biais de Renn-Production, dont il détient 50 % des parts, et du distributeur AMLF, qu'il contrôle. Le film va pouvoir bénéficier d'un lancement sur l'ensemble des salles du groupe.
Le coût très élevé de production pour un film français exige une rentabilité rapide

et un lancement publicitaire exceptionnel. La télévision va servir de relais. Intéressés pour un tiers à la production du film, France 2 et Canal + ont mobilisé tous les moyens pour sensibiliser le public : reportages pendant le tournage, interviews de réalisateurs, d'acteurs, etc. Le groupe Havas auquel appartient Canal + est mobilisé lui aussi. Les autres médias vont suivre par nécessité.

■ ... passe par la médiatisation

Le spectateur ne doit pas échapper à l'emprise médiatique. Ce type de film bénéficie d'aides particulièrement importantes puisque *Germinal* fait partie des grands projets à vocation nationale. C'est pour cela que le ministère de l'Éducation nationale est mis à contribution et que les élèves sont invités à aller le voir pour rentabiliser l'événement. Le président de la République, lui-même, a assisté à la première le 27 septembre 1993, à Lille.

HISTOIRE

GENRES ET FORMES

RÉALISATION

PRODUCTION/DIFFUSION

TECHNIQUES

LIRE UN FILM

Le studio

> Le studio est né avec le cinéma. C'est un lieu où sont concentrés tous les services exigés par un tournage et qui permet de limiter les risques, de maîtriser les difficultés en mettant tout ce qui est nécessaire à portée de main. La baisse de fréquentation des salles, de nouvelles conditions de tournage ont sonné le glas de nombreux studios.

Le studio : un microcosme

☐ Le studio est un centre de production qui permet de réunir en un seul lieu tout ce qui est nécessaire à la réalisation d'un film.

☐ Sur le plateau, la production peut disposer d'un matériel son et lumière. Des ateliers de menuiserie et de peinture permettent la réalisation des décors. L'ensemblier, l'accessoiriste et le costumier peuvent puiser dans les entrepôts pour compléter la décoration. Des loges pour le maquillage et la coiffure sont mises à la disposition des acteurs. Le réalisateur peut terminer son film dans les salles de montage et les auditoriums de mixage. La concentration de tous ces services permet un gain de temps et d'argent appréciable.

☐ Le studio permet aussi à l'équipe de maîtriser les imprévus, de ne pas être tributaire des intempéries et de pouvoir réaliser des trucages au tournage et au montage.

Le développement des studios

☐ Dès la naissance du cinéma, les réalisateurs ont senti la nécessité de disposer d'un lieu de tournage. Le premier studio naît avec Georges Méliès, qui crée dans son jardin de Montreuil-sous-Bois, un théâtre cinématographique (1896). Là, il tourne des dizaines de films dans des décors de toiles peintes à la main.

☐ Rapidement, les studios se développent à proximité de Paris, lieu de décision économique. La société Pathé s'implante à Joinville, Gaumont va aux Buttes-Chaumont, les studios Éclair s'installent à Épinay-sur-Seine. Billancourt devient le lieu de rencontre des cinéastes les plus marquants de l'entre-deux-guerres : Abel Gance, Marcel Carné, Jean Grémillon, Jean Renoir, etc.

☐ En province, les studios se développent en bordure de la Méditerranée. Les cinéastes cherchent à profiter d'un climat plus clément. Marcel Pagnol crée à Marseille les studios de la Phocéa Film, où il tourne une grande partie de son œuvre : *Marius, Fanny, César, Regain, La Fille du puisatier*. Il se trouve à proximité des paysages d'Aubagne qui sont le cadre d'une partie de ses films. Le studio de la Victorine, dans la région niçoise, est le seul à avoir perduré.

Le recul des studios

De nombreux studios ont dû fermer leurs portes. Cette crise a deux causes complémentaires. D'une part, la crise générale du cinéma, qui s'est traduite par une baisse de la fréquentation des salles, a amené les producteurs à réduire le coût de la fabrication des décors. D'autre part, certains réalisateurs, en particulier ceux du Néoréalisme et de la Nouvelle Vague, en voulant se dégager de la « dictature » des techniciens, ont cherché un nouveau réalisme en travaillant, en extérieur, dans des décors naturels.

LA VICTORINE

■ Le temple du soleil et de la lumière

La création des studios remonte à 1919. La paternité en revient à deux cinéastes : Louis Nalpas et Serge Sandberg, qui se rendent propriétaires d'un domaine de 7 ha appartenant au prince d'Essling, dont la nièce, prénommée Victoire, inspire le nom de la Victorine.

La crise économique des années 20 et l'arrivée du parlant frappent de plein fouet les studios niçois. La Victorine ne sombre pas grâce à d'importants travaux d'insonorisation.

■ Les hasards de la guerre

Mais la grande chance de ces studios fut sans aucun doute les hasards de la Seconde Guerre mondiale : dès 1940, l'occupation de Paris et l'implantation de la ligne de démarcation qui met Nice en zone libre font des studios le refuge d'un grand nombre de cinéastes. C'est ainsi que Abel Gance y tourne *Une femme dans la nuit* en 1941, Marc Allégret *Félicien Nanteuil* en 1942, Marcel Carné *Les Visiteurs du soir* la même année. L'année suivante, Jean Delannoy vient y tourner *L'Éternel Retour* et Marcel Carné y commence *Les Enfants du paradis*, qu'il finira l'année suivante.

■ Quelques grands films

Les incendies de 1945 et 1970 n'anéantiront pas le charme des studios, dont de nombreux plateaux furent reconstruits sous forme de vastes serres utilisant uniquement la lumière naturelle. Dans ce cadre ont été filmés *Jeux interdits* de René Clément en 1951, *La Main au collet* d'Alfred Hitchcock en 1955, *Mon oncle* de Tati la même année, *Le Testament d'Orphée* de Jean Cocteau en 1960, *Le Corniaud* de Gérard Oury en 1964.

■ La Victorine de l'an 2000

Aujourd'hui, si le bruit de l'aéroport Nice-Côte-d'Azur tout proche et l'éloignement de Paris lui font du tort, les studios ont su diversifier leur production en offrant leurs plateaux aux séries télévisées et aux téléfilms (*Les Mystères de Paris, Riviera*), aux films publicitaires pour Badoit, Soupline, Esso, Compaq, etc. et aux photographes pour la réalisation de catalogues.

Les fidèles de la Victorine

Le recordman est Georges Lautner qui y tourne pas moins de 11 films, dont *Ne nous fâchons pas* (1966), *Il était une fois un flic* (1971), *Joyeuses Pâques* (1984), *Triplex* (1990). Il est suivi de près par Christian-Jaque : 10 films, dont *Fanfan la Tulipe* (1951), *Nana* (1955), *La Tulipe noire* (1963). Verneuil y tourne 3 films, dont *Mélodie en sous-sol* (1962) et *Le Clan des Siciliens* (1969).

Terence Young s'y installe à 4 reprises pour, par exemple, *Triple Cross* (1966), *Une anglaise romantique* (1974).

François Truffaut y réalise *La Mariée était en noir* (1967), *La Sirène du Mississippi* (1969), *Les Deux Anglaises et le Continent* (1971), *La Nuit américaine* (1973).

HISTOIRE
GENRES ET FORMES
RÉALISATION
PRODUCTION/DIFFUSION
TECHNIQUES
LIRE UN FILM

La distribution

La distribution est l'intermédiaire entre la production et l'exploitation. Les sociétés de distribution achètent les films, assurent la promotion et la programmation dans les salles. Si on recense un grand nombre de sociétés, la majeure partie des films exploités en salles est distribuée par quelques grandes sociétés.

Les sociétés de distribution

☐ On recense plus de 350 sociétés de distribution en France. Cependant, seules la moitié d'entre elles exerce une activité réelle et, parmi elles, sept entreprises couvrent 90 % du marché français. Parmi ces sociétés figurent les filiales des *Majors* américaines, qui fournissent à la France des films-événements souvent déjà rentabilisés outre-Atlantique. Il s'agit de Columbia, Warner, Twentieth Century Fox et UIP (société distributrice de Paramount, Universal et MGM).

☐ Trois sociétés de distribution sont des maillons de *Majors* à la française, c'est-à-dire qu'elles distribuent et exploitent dans leur réseau de salles, les films qu'elles ont coproduits. Ce sont UGC et AMLF, liées au groupe Pathé et Gaumont, groupe qui assure également la distribution des films Walt Disney grâce à une filiale Gaumont Buena Vista. À côté de ces entreprises dominantes, une dizaine de distributeurs s'assure 7 à 8 % du marché. Ces entreprises moyennes s'appuient généralement sur des groupes industriels ou de communication.

☐ L'autre moitié des sociétés en activité se partagent 2 à 3 % du marché. Marginales, elles assurent la diffusion de films dits « Art et Essai ».

Le mandat de distribution

☐ Le distributeur peut acheter auprès d'un producteur les droits, par intérêt pour l'histoire, les acteurs, l'originalité de la réalisation. Ils passent alors un contrat : un « mandat de distribution ».

☐ Le distributeur obtient l'exclusivité des droits de diffusion en salle, en vidéo, ou à la télévision pour une durée déterminée. Le contrat précise le budget publicitaire à engager et le nombre de copies à tirer (généralement entre 10 et 150). Le distributeur verse au producteur une avance financière, sous réserve de l'obtention du visa d'exploitation qui est demandé auprès du CNC. Le visa est délivré par la Commission des œuvres cinématographiques.

La rétribution du distributeur

☐ Le distributeur cherche à rentabiliser, le plus vite possible, un produit coûteux. La réussite commerciale dépend souvent des premiers jours de diffusion dans les salles parisiennes. Un échec public, les premières semaines, dans le circuit des salles préfigure l'échec total auprès de la télévision, de la vente à l'étranger, de la diffusion en vidéocassette.

☐ Le distributeur reçoit un pourcentage sur le prix des places (environ 40 %), sur lequel il doit rembourser ses propres frais avant de donner sa part au producteur. Pour le distributeur des sociétés indépendantes qui diffusent un nombre limité de films par an, il s'agit de ne pas se tromper. L'échec d'un film peut rapidement mettre en péril l'équilibre financier d'une société de distribution.

■ Le coût d'un billet

Une partie des recettes d'une salle est destinée à payer les impôts indirects, la TVA. Le CNC prélève la taxe spéciale additionnelle qui alimente le Fonds de soutien cinématographique (environ 11 % du prix du billet). La Société des auteurs compositeurs et éditeurs de musique (Sacem) perçoit elle aussi un pourcentage sur le billet. La part réservée au distributeur est négociée entre celui-ci et l'exploitant des salles. Elle varie en fonction des films (exclusivité, reprise, durée de la projection, etc.), mais reste toujours voisine de 40 %. Dans l'exemple fourni, elle est de 45 %.

■ Un exemple à Avignon

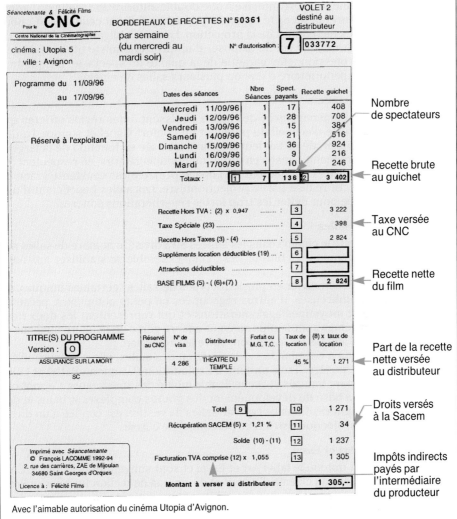

Avec l'aimable autorisation du cinéma Utopia d'Avignon.

HISTOIRE
GENRES ET FORMES
RÉALISATION
PRODUCTION/DIFFUSION
TECHNIQUES
LIRE UN FILM

L'exploitation en salle

L'exploitation désigne la branche de l'industrie cinématographique relative à la mise en valeur des salles. Elle se situe dans un univers fortement concurrentiel et se doit d'évoluer constamment. De nombreux cinémas de quartier disparaissent, alors que de grands complexes se construisent en périphérie des agglomérations.

L'exploitant

La profession d'exploitant n'exige ni diplôme technique ni achat de charge. Cependant l'ouverture d'une salle est soumise à une double autorisation : celle de l'administration, pour assurer la sécurité de la réception du public, et celle du CNC, pour respecter les normes techniques de la projection. La seule obligation spécifique de l'activité cinématographique est de disposer d'un projectionniste titulaire du certificat d'aptitude professionnelle, garantie de la qualité du spectacle. L'exploitant peut être gérant ou propriétaire d'une ou plusieurs salles de cinéma.

La salle de cinéma

La construction et l'aménagement des salles obéissent à des règles strictes qui garantissent la sécurité d'accueil du public et un confort visuel et sonore. La disposition des fauteuils et, de ce fait leur nombre, est fixée en fonction de la largeur de l'écran. L'écran réfléchit l'image en direction des spectateurs, en respectant les contrastes et les densités. La hauteur de l'image projetée est constante grâce au changement d'objectif réalisé par le projectionniste. Les salles bénéficient d'une architecture adaptée pour éviter les trop fortes réverbérations sonores.

Le parc de salles

☐ La crise qui a affecté le cinéma dans les années 80 a divisé le nombre de salles par deux. Cependant, depuis le début de 1990, celui-ci semble se stabiliser aux environs de 4 400.

☐ Le parc peut se décomposer en plusieurs types de salles : certaines uniques, de moins en moins nombreuses, d'autres regroupées en petits complexes, présents dans les grandes et moyennes agglomérations et qui représentent les deux tiers des écrans. Ces cinémas sont le plus souvent encore gérés de manière familiale et artisanale. L'exploitant assure la gestion, voire la projection.

☐ La crise du cinéma a entraîné la modernisation des salles, elle a aussi accéléré la concentration financière. Trois circuits d'exploitation (Gaumont, Pathé et UGC) possèdent 20 % du parc français et accueillent la moitié des spectateurs. Ce sont ces circuits qui sont à la base du développement des grands complexes urbains et des multiplexes en périphérie. Dans ce type de salles, la gestion est confiée à un directeur qui dirige les projectionnistes et le personnel de caisse.

Les salles Art et Essai

Certaines salles ont obtenu le label Art et Essai et sont subventionnées par le CNC parce qu'elles diffusent du cinéma d'auteur et du cinéma de recherche. Minoritaires, elles représentent environ 15 % du parc. Elles sont essentielles pour la découverte de jeunes cinéastes et la popularisation de films d'auteurs.

■ Des règles strictes

Depuis l'incendie du Bazar de la Charité en 1897, causé par un incident sur un projecteur, la législation a imposé un règlement très strict dont la clause la plus importante est que les projecteurs doivent être isolés dans une cabine. Le public n'en perçoit plus le bruit, il n'est pas gêné par la lumière, qui permet au projectionniste de travailler dans de bonnes conditions.

Longtemps la cabine a été occupée par deux projecteurs à arcs à charbon qui lisaient les images alternativement. La continuité et la qualité de la projection dépendaient de l'habileté de l'opérateur pour enchaîner l'envoi des images d'un projecteur à l'autre. Maintenant, la quasi-totalité des salles est équipée d'un projecteur unique avec une lampe au xénon, ce qui implique la nécessité d'avoir un film sur une bobine unique.

■ De l'importance de l'opérateur

Le distributeur expédie aux salles le film sur plusieurs bobines. L'opérateur réalise le montage des bobines du programme en les collant les unes aux autres et en prenant soin de supprimer

De la méticulosité du projectionniste dépend la qualité d'une séance.

les amorces. Les collages sont effectués avec un ruban adhésif spécial. Le film monté est alors placé sur un dérouleur. Celui-ci peut être à l'horizontale ou à la verticale, selon le type de matériel. Le film du plateau dérouleur se dévide, guidé par des galets, et vient s'enrouler sur un plateau récepteur après passage dans le projecteur. Le film peut être aussi chargé sur des bobines de grande capacité disposées à l'arrière du projecteur.

L'opérateur commande les éclairages de la salle, place les objectifs, réalise la netteté de l'image, en ajuste le cadre. Grâce au retour du son, il règle la tonalité et le niveau.

L'opérateur est responsable de la cabine, qui doit être nettoyée avec soin et débarrassée de toute poussière.

HISTOIRE

GENRES ET FORMES

RÉALISATION

PRODUCTION/DIFFUSION

TECHNIQUES

LIRE UN FILM

La promotion du film

Un film est un investissement qu'il convient de rentabiliser, le budget promotionnel est souvent considérable pour obtenir des rentrées financières rapides. La publicité est multiforme mais la radio et la télévision jouent un rôle primordial dans le lancement d'un film.

La rentabilisation du film

☐ La distribution est chargée de rentabiliser le plus vite possible des investissements considérables. Le film n'est pas considéré comme une production artistique mais comme un objet à la recherche d'un public de consommateurs. La qualité de la promotion devient l'élément essentiel pour la réussite financière d'un film. Il faut drainer le maximum de spectateurs dans un minimum de temps.

☐ Le budget publicitaire peut dépasser le budget de production : ainsi le budget de *Jurassic Park* de Steven Spielberg atteint 80 millions de dollars pour la production et 105 millions de dollars pour la promotion aux États-Unis et dans le monde. En France, il existe un fort déséquilibre entre Paris (70 % des dépenses publicitaires pour moins de 20 % de la population) et la province.

Une publicité multiforme

☐ Un attaché de presse est chargé de remettre un dossier à la presse lors de projections le plus souvent privées. Son rôle est de faciliter les rencontres des médias avec les comédiens et le réalisateur.

☐ Un agent de publicité se charge de l'affichage, de la location des emplacements dans les journaux. L'essentiel du budget est concentré sur la région parisienne (affiches murales sur les autobus et dans le métro).

☐ Des extraits de film, des bandes-annonces sont présentés dans les salles de cinéma. Des vidéocassettes de ces extraits sont envoyées aux chaînes télévisées. La tendance actuelle des distributeurs en matière de promotion des films est de réduire la part de l'affiche et des encarts publicitaires dans les journaux pour donner la priorité à des médias aux retombées plus immédiates comme la radio ou la télévision. Mais leur accès est réservé à des films événements généralement coproduits par la télévision elle-même ; ainsi, les chaînes, en invitant réalisateurs et acteurs, font leur propre promotion.

☐ La télévision participe à des shows comme la Nuit des césars copiées sur le modèle des oscars d'Hollywood. Il ne s'agit pas ici d'une recherche de talents nouveaux et d'auteurs. Les césars ont pour but, en récompensant des films médiatisés, d'affirmer un système économique en place.

Les festivals

Les festivals sont des manifestations nationales ou internationales à l'intention du public et de la presse, consacrés aux longs ou aux courts métrages parfois aux deux. Les films primés bénéficient d'une large promotion. Ces festivals sont aussi des marchés, le distributeur peut tenir un stand et exposer un catalogue. Certains se sont spécialisés. En France, par exemple, Annecy se consacre à l'animation, Lille et Clermont-Ferrand honorent le court métrage, Paris aime le documentaire, etc.

LE FESTIVAL DE CANNES

■ Que la diffusion soit !

La création du Festival de Cannes, décidée en 1939 par le gouvernement français, fut contrariée par la guerre. Il faudra attendre 1946 pour qu'il ait lieu tous les ans et s'installe peu à peu dans une reconnaissance internationale. Les prix de la sélection officielle assurent aux films primés une large diffusion, aussi bien en France qu'à l'étranger. En particulier, la Palme d'or, grand prix du Festival de Cannes, récompense théoriquement le meilleur film en compétition. Le jury est constitué de personnalités de nationalités différentes indéniablement reconnues dans le monde du cinéma.

Les prix d'Interprétation (masculine et féminine) donnent aux acteurs une reconnaissance et permettent un développement de leur carrière.

■ Un lieu ouvert à tous

Cannes met aussi d'autres films en compétition au cours d'autres sélections : Semaine de la critique, Un certain regard, Cinéma d'en France, Caméra d'or, Sélection du court métrage…

Cannes est une vitrine du rêve dont la télévision se fait de plus en plus l'écho et le médiateur, avec le risque de voler la vedette au cinéma lui-même !

Affiche du 50e anniversaire du Festival de Cannes.

La fille d'Ingmar Bergman reçoit la Palme des palmes offerte à son père pour l'ensemble de son œuvre.

Les dix premières années des Palmes d'or

1946 : 11 Palmes décernées à 11 pays différents, pour la France : *La Symphonie pastorale* de Jean Delannoy

1947 : 6 lauréats, en France : *Antoine et Antoinette* de Jacques Becker et *Les Maudits* de René Clément

1948 : pas de festival

1949 : *Le Troisième Homme* de Carol Reed

1950 : pas de festival

1951 : *Miracle à Milan* de Vittorio de Sica

1952 : ex aequo : *Deux sous d'espoir* de Renato Castellani et *Othello* d'Orson Welles

1953 : *Le Salaire de la peur* de H.-G. Clouzot

1954 : *La Porte de l'enfer* de T. Kinugasa

1955 : *Marty* de Delbert Mann

1956 : *Le Monde du silence* de Jacques-Yves Cousteau et Louis Malle

En cinquante ans, la France a eu dix fois la Palme.

HISTOIRE
GENRES ET FORMES
RÉALISATION
PRODUCTION/DIFFUSION
TECHNIQUES
LIRE UN FILM

Le Centre national de la cinématographie

Le Centre national de la cinématographie (CNC), organisme public unique au monde, encadre financièrement et administrativement l'ensemble de la profession et contribue à renouveler la création.

Un établissement public

Le CNC a été créé en 1946. C'est un établissement public doté d'une autonomie financière et d'une personnalité juridique. Le Centre est placé sous l'autorité du ministre chargé de la Culture, qui désigne le directeur général, personnage clé du cinéma français.

Un rôle d'encadrement administratif

Le CNC étudie et élabore des textes législatifs et réglementaires qui régissent les secteurs cinématographiques et audiovisuels. Il délivre les agréments des films. Il réunit la commission de contrôle des films, celle-ci devant donner les visas autorisant la projection des films tous publics, ceux interdits aux moins de 16 ans, au moins de 12 ans, classés X, etc.

Un rôle d'encadrement financier

☐ Le CNC gère le compte de soutien financier de l'État à l'industrie cinématographique et à l'industrie des programmes audiovisuels ainsi que les dotations accordées par le ministère de la Culture. Il aide à la production et la distribution des films (notamment ceux qui sont peu ou mal diffusés), à la production de programmes destinés à l'ensemble des réseaux télévisuels (télévisions hertziennes, Canal+, réseaux câblés), aux industries techniques. Il apporte son soutien au secteur des nouvelles technologies de l'image : image de synthèse, disque optique numérique, etc.
☐ De nombreuses initiatives sont prises pour favoriser le maintien d'un large accès du public aux salles de cinéma : aides sélectives à la création et à la modernisation des salles, aides aux copies pour les petites et moyennes villes.
☐ Le CNC subventionne la Cinémathèque française, la Bibliothèque du film, l'Institut Louis-Lumière de Lyon, la cinémathèque de Toulouse et le Palais du Cinéma.

Une mission culturelle

☐ Depuis 1989, le CNC élabore des conventions avec les collectivités locales pour le développement du cinéma et de l'audiovisuel afin de soutenir l'exploitation, la promotion et la diffusion du cinéma, sensibiliser le jeune public (cinéma en milieu scolaire), favoriser la formation professionnelle et l'accueil des tournages. Il est chargé d'assurer la protection et la diffusion du patrimoine cinématographique.
☐ Il soutient des manifestations, festivals, rencontres… Il favorise l'exportation de la production française en Afrique, en Europe centrale et orientale.

■ La mémoire du cinéma

Les Archives du film du CNC ont été créées par décret le 19 juin 1969. Ses principales missions sont :
- la collecte et la conservation des collections (elles disposent actuellement de plus de 130 000 films) ;
- l'inventaire et le catalogage ;
- la programmation des sauvegardes et des restaurations ;
- la sauvegarde et la restauration ;
- la formation et la recherche ;
- la mise en valeur du patrimoine à travers de nombreuses manifestations culturelles en France et à l'étranger.

Le CNC a entrepris de publier le catalogue de la production cinématographique française des origines à nos jours. On y trouve environ 10 000 films réalisés avant 1914, 41 000 entre 1914 et 1954, et 80 000 depuis 1955. La catalogue référence aussi bien des fictions (près de 73 000 titres) que des documentaires (plus de 58 000 titres). Depuis 1977, les producteurs français et les distributeurs doivent obligatoirement déposer une copie de leur film auprès du centre. Cet organisme archive également des scénarios (60 000), des affiches (15 000), des photos (120 000), des ouvrages et des périodiques (7 000), etc.

Les grandes compagnies privées telles que Gaumont ou Pathé possèdent leurs propres archives.

■ Un programme de restauration

Les Archives assurent l'essentiel de la restauration. Depuis 1895, la moitié des films produits dans le monde ont disparu car fixés sur un support en nitrate de cellulose dont la durée de vie n'excède pas cinquante ans. On les appelle les films-flammes, car ils peuvent s'enflammer au contact de l'air.

Les Archives assurent l'essentiel de la restauration à travers un programme étalé sur quinze ans. C'est ainsi que, jusqu'à aujourd'hui, 1 000 œuvres sont restaurées chaque année, soit environ 1 300 000 mètres de films.

Les conditions de la sauvegarde

Les Archives du CNC sont situées dans deux anciens forts : Bois-d'Arcy et Saint-Cyr. Cinq bâtiments à température et hygrométrie constantes ont été construits pour répondre aux rigoureuses exigences des films à support de nitrate, faisant du Centre le seul organisme institutionnel susceptible de conserver les films-flammes. Ces laboratoires peuvent traiter tous les supports, tous les formats, toutes les techniques plus ou moins périmées (coloriage au pochoir, par exemple).

HISTOIRE

GENRES ET FORMES

RÉALISATION

PRODUCTION/DIFFUSION

TECHNIQUES

LIRE UN FILM

L'exploitation hors salle

La vente des billets à l'entrée des salles de cinéma représente moins d'un tiers des recettes totales d'un film. Les droits de diffusion télévisuelle et l'exploitation des vidéocassettes procurent des recettes deux fois supérieures à celles des guichets. La réussite financière à l'exportation ne concerne que quelques films médiatisés.

La télévision

☐ La télévision « nourrit » ses grilles de programmes de films de cinéma. Les taux d'audience montrent que les principaux succès d'une chaîne sur l'ensemble de l'année proviennent de la diffusion et de la rediffusion d'œuvres cinématographiques. Les chaînes émettant en clair diffusent plus de 900 films par an, Canal+ environ 450.
☐ Sur le nombre total d'œuvres cinématographiques, les chaînes de télévision sont tenues de diffuser un quota de 60 % d'œuvres européennes dont 40 % d'expression française. Pour alimenter leurs créneaux de diffusion de films, elles ont recours soit à la participation à la production, soit au préachat du film. Le financement par les chaînes est devenu vital pour le fonctionnement du cinéma. L'apport de la télévision est supérieur aux recettes réalisées aux guichets des salles.

La vidéo

☐ L'exploitation des vidéocassettes (location et vente) permet aux distributeurs d'atteindre des recettes égales à celles réalisées aux guichets. C'est donc un marché complémentaire pour le cinéma. Près de 35 000 films, d'environ 50 nationalités, sont proposés dans les catalogues des distributeurs, mais les œuvres françaises (25 % des ventes) et américaines (70 % des ventes) se partagent l'essentiel du marché. Les films qui réalisent les meilleures recettes sont ceux qui ont bénéficié d'un soutien médiatique important et ont obtenu le plus d'entrées dans les salles. Les dessins animés de Walt Disney figurent toujours dans les meilleures ventes de l'année.
☐ Le secteur de l'édition de vidéocassettes est très concentré puisque les dix premières entreprises réalisent 90 % du chiffre d'affaires et que les deux premières atteignent à elles seules la moitié des résultats. Il s'agit de Buena Vista Home Video (Films Walt Disney) et de l'alliance entre la *Major* française Gaumont et les sociétés américaines Columbia et Tristar.

L'exportation

☐ L'exportation des films français se fait sur une soixantaine de titres par an (environ 40 % de la production). Cependant, les recettes se concentrent sur les films événements de la production française. L'exportation représente un quart des recettes aux guichets français. L'essentiel des recettes est réalisé sur le marché de l'Europe occidentale, Allemagne et Italie en tête.
☐ Le marché nord-américain paraît difficilement pénétrable. Les distributeurs américains prétendent que le public ne peut accepter des films en version originale sous-titrée et refusent la postsynchronisation. Les producteurs préfèrent acheter les droits des scénarios et réaliser des remakes comme ce fut le cas pour *À bout de souffle, Trois hommes et un couffin, Un Indien dans la ville*. Les réussites commerciales de ce marché ont été des productions françaises réalisées en langue anglaise, avec une distribution internationale : *Valmont, Le Grand Bleu, L'Amant*.

L'EXPLOITATION VIDÉO

■ La part des recettes

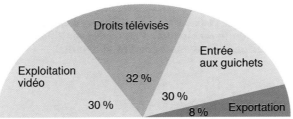

Droits télévisés — 32 %

Entrée aux guichets — 30 %

Exploitation vidéo — 30 %

Exportation — 8 %

L'exploitation des vidéocassettes atteint des recettes équivalentes à celles des entrées des salles de cinéma.

■ Un super-marché parallèle

Le magnétoscope est devenu un équipement de base, complémentaire de la télévision. Le marché de la vidéocassette est en progression constante. Il se répartit en deux secteurs : la location et la vente.

La location a tendance à progresser lentement et représente un quart du marché. La vente est en croissance rapide et en représente les trois quarts.

Le marché de la vidéo est placé sous le contrôle du CNC. Un film, pour obtenir sa sortie sur le marché de la vidéo, doit attendre un délai de un an à compter de la date d'obtention du visa d'exploitation du film.

Cependant, des dérogations peuvent être octroyées à des films qui ont obtenu de faibles résultats en salle ou, au contraire, à des œuvres qui ont connu un succès considérable. Ces films voient leur délai réduit pour être diffusés à des périodes commerciales favorables. La commission du CNC accorde de 150 à 200 dérogations par an, le délai réel est donc ramené à sept mois. Les succès populaires du printemps, les films primés à Cannes sont donc disponibles dans les magasins et grandes surfaces pour les fêtes de fin d'année, à côté de la collection des films Walt Disney.

La vidéo sauvage

Le développement des chaînes par cables ou par satellites a renforcé une tendance que la programmation de Canal + avait déjà bien développée : l'enregistrement des films et la création de super vidéothèques. Si Canal + annonce 33 films par mois, que dire des chaînes comme Ciné Cinéma, Ciné Cinéfil, Cinéstar, Cinétoile dont la seule vocation est de diffuser des films à longueur d'onde. À vos cassettes !

EN AVRIL, AVEC 33 FILMS EN EXCLUSIVITÉ, LE BONHEUR EST SUR CANAL+.

Pendant qu'on regarde CANAL+ au moins on n'est pas devant la télé.

HISTOIRE

GENRES ET FORMES

RÉALISATION

PRODUCTION/DIFFUSION

TECHNIQUES

LIRE UN FILM

Cinémathèques, musées, instituts, ciné-clubs

> Le rôle de ces quatre organismes est de faire connaître l'ensemble du monde du cinéma, d'en conserver l'histoire et de diffuser le patrimoine cinématographique mondial.

Un patrimoine récent, divers et fragile

Le patrimoine cinématographique est constitué de films dont les supports ou les émulsions sont vulnérables et qu'il faut protéger. Il s'agit aussi de documents (manuscrits, dessins, photos...), matériels techniques (caméras, projecteurs...) et d'objets divers. La responsabilité de ce patrimoine est partagée entre l'État et des partenaires associatifs.

Les cinémathèques

□ Une cinémathèque est un organisme privé ou public qui assure la conservation et l'entretien de l'ensemble du patrimoine cinématographique, filmique ou non. Elle organise des projections publiques, des expositions, des colloques. C'est à Stockholm, en 1933, que naît la première cinémathèque. La création de la Cinémathèque française date de 1936.

□ Les cinémathèques sont fédérées au niveau international, ce qui facilite les échanges de films et de documents d'un pays à l'autre. En France, cinq cinémathèques sont reconnues par la Fédération internationale : la Cinémathèque française, la Cinémathèque universelle de Paris, la Cinémathèque de Toulouse, le musée du Cinéma Louis-Lumière de Lyon, le service des Archives du film du CNC. À celles-ci s'ajoutent les cinémathèques régionales (Saint-Étienne, Nice) et les sociétés privées Gaumont et Pathé, qui assurent elles-mêmes la conservation de leur patrimoine.

Les musées et les instituts

Leur développement permet aux chercheurs et aux cinéphiles d'accéder aux documents visuels ou écrits. Ce sont des lieux d'activité pédagogique, de colloque ou de séminaire. À Paris se trouvent la Cinémathèque française (avec le musée du cinéma et ses salles de projection), la Bibliothèque du film (BIFI), le Forum des images et le centre Beaubourg. Le public peut accéder à des films, des vidéos, consulter quelque 35 000 ouvrages, deux millions de photographies, de repérages de tournage, 30 000 affiches de cinéma, etc.

Les ciné-clubs

□ La naissance des ciné-clubs est liée au souci de faire reconnaître le cinéma comme un art à part entière, en relevant le niveau de la production cinématographique et en cherchant à attirer de nouveaux talents.

□ Deux noms prestigieux du cinéma impressionniste y sont étroitement associés : Louis Delluc, qui crée le mot ciné-club en 1920, et Germaine Dullac, qui patronne le Ciné-club de France, lui-même produit de la fusion, en 1924, du CASA (Club des amis du septième art) créé par Ricciotto Canudo et du Club français du cinéma animé par Léon Moussinac. On compte à l'heure actuelle environ 3 000 ciné-clubs en activité.

Henri
Langlois
(1914-1977).

Entrée du premier musée du cinéma
au Palais de Chaillot.

■ Du Cercle du cinéma...

Henri Langlois naît à Smyrne (Turquie) en 1914, de parents français. Il fait ses études à Paris où il s'enthousiasme pour le cinéma et crée avec Franju un ciné-club : le Cercle du cinéma.

Il dispose de moyens personnels importants qui lui permettent de racheter un grand nombre de copies de films du cinéma muet. C'est pour conserver et projeter ces films qu'il crée la Cinémathèque française en 1936.

■ ... à la FIAF

En 1938, Langlois fonde la FIAF (Fédération internationale des archives du film). Son développement constant l'oblige à s'agrandir sans cesse et donc à changer plusieurs fois de lieu. En 1955, la FIAF s'installe dans l'Institut pédagogique de la rue d'Ulm. C'est là que Langlois organise des rétrospectives devenues légendaires. En 1962, Malraux, alors ministre de la Culture, met à sa disposition une salle au palais de Chaillot.

En 1968, « l'affaire Langlois » éclate. Contesté dans sa gestion, Henri Langlois est évincé du conseil d'administration. Une vaste campagne de solidarité internationale se déclenche, qui lui permet de retrouver ses fonctions. « Le dragon, qui veille sur nos trésors » comme l'avait baptisé Jean Cocteau et qui a fait partager à deux générations de cinéphiles sa passion du 7e Art, meurt en 1977.

La Cinémathèque française

C'est le 8 octobre 1936 que paraît dans le *Journal officiel de la République française* la déclaration d'une association créée le 9 septembre. Elle se nomme la Cinémathèque française. Son but est de « conserver et de diffuser les films du répertoire ». Elle a son siège au 4, rue de Longchamp, dans le XVIe arrondissement de Paris. À sa tête, Henri Langlois, le réalisateur Georges Franju, Jean Mitry (historien et esthéticien du cinéma) et Paul-Auguste Harlé. L'histoire de la cinémathèque va bientôt se confondre avec la vie de Henri Langlois.

De nos jours, la Cinémathèque française poursuit son effort de restauration de nombreux films et de diffusion des œuvres du patrimoine mondial.

| HISTOIRE |
| GENRES ET FORMES |
| RÉALISATION |
| **PRODUCTION/DIFFUSION** |
| TECHNIQUES |
| LIRE UN FILM |

L'enseignement

Depuis 1968, l'enseignement du cinéma et de l'audiovisuel est au programme de l'Éducation nationale. Les universités et de nombreuses écoles spécialisées offrent des diplômes très spécifiques, mais l'apprentissage sur le terrain reste encore la voie royale de ce métier.

Au collège, au lycée : une approche culturelle

☐ L'enseignement du cinéma et de l'audiovisuel est entré dans le secondaire et le supérieur à la faveur des événements de 1968. Le développement cohérent du dispositif pédagogique est plus récent encore. Il date du début des années 90, soit près d'un siècle après l'invention du cinéma et cinquante ans après le développement de la télévision.

☐ Au collège et au lycée, un élève peut bénéficier d'une approche du patrimoine cinématographique grâce à des séries d'actions. Des ateliers, des options cinéma-audiovisuel ont été mis en place, offrant une approche théorique et pratique de l'image et du son.

À l'université : un enseignement surtout théorique

À l'université se sont développés des départements autonomes qui dispensent des cours jusqu'au niveau du doctorat. Les diplômes universitaires délivrés par les facultés de Lettres donnent aux étudiants la possibilité d'intégrer des secteurs professionnels très divers : des activités socioculturelles à la recherche, en passant par la programmation ou la documentation. Certaines universités scientifiques préparent à des diplômes orientés vers les métiers de la vidéo et de l'informatique.

Les formations professionnelles

☐ Dans le cadre de l'Éducation nationale, après le baccalauréat, les étudiants peuvent aussi accéder à une formation pratique. Elle est assurée dans quelques lycées par des sections préparant des brevets de techniciens supérieurs (BTS) en deux ans. Quatre options sont actuellement proposées : administration de la production audiovisuelle, exploitation, image, son. Les formations sont essentiellement dispensées par des écoles supérieures, qui disposent de locaux adaptés et de matériel performant. Les enseignants sont des pédagogues et des techniciens reconnus.

☐ Certains instituts bénéficient plus particulièrement de l'estime et du soutien de l'ensemble de la profession. L'École nationale Louis-Lumière (ex-Vaugirard), la Femis et l'Ensad permettent la formation, le renouvellement des créateurs et des techniciens du paysage audiovisuel français.

☐ Avec le formidable développement de l'image et la demande en formation qui en découle, de nombreuses écoles privées se sont développées. Les coûts de scolarité sont souvent très élevés pour un enseignement, tant théorique que pratique, de niveau très variable.

☐ La formation sur le terrain, l'apprentissage direct restent encore des voies d'accès à la profession. L'enseignement théorique, s'il est nécessaire, ne peut remplacer l'école du regard. C'est au contact d'un technicien chevronné que le stagiaire même diplômé d'une grande école peut parfaire sa formation.

■ La Femis

L'Institut de formation et d'enseignement pour les métiers de l'image et du son, créé en 1986, a succédé à l'Idhec (Institut des hautes études cinématographiques). La Femis est installée actuellement rue Francœur à Paris. Elle est financée essentiellement par le ministère de la Culture et bénéficie aussi des aides du CNC et des mécènes.

L'institut recrute tous les ans une quarantaine d'élèves à bac + 2 parmi 1 400 candidats. Les étudiants reçoivent une formation en trois ans se rapportant au scénario, à la réalisation, à l'image, au son, au décor, au montage et à la production. Ils suivent des cours théoriques et sont amenés à réaliser, dès leur entrée à l'école, des films et des productions vidéo en format professionnel.

Les étudiants sont en contact permanent avec le milieu du cinéma et de l'audiovisuel grâce à des rencontres, des conférences et des stages dans les entreprises ou sur les lieux de tournage.

■ L'Ensad

L'École nationale supérieure des arts décoratifs (Ensad) a été fondée au XVIIIe siècle, le 10 septembre 1766 exactement. Son but : former des créateurs artistiques aptes à intervenir dans la conception et la réalisation du cadre de vie. Cette école comporte une section « cinéma, animation, vidéo ». Tout bachelier peut y entrer sur concours. Il devra faire quatre ans d'études avant d'obtenir un diplôme d'État avec mention de spécialisation. Fantin-Latour, Rodin, Rouault, Auguste Renoir, Matisse et plus près de nous : Christian-Jaque, Paul Signac, Jérôme Savary ou Jacques Tardi ont étudié rue d'Ulm.

■ L'École nationale Louis-Lumière

L'École nationale supérieure Louis-Lumière a été créée en 1926 par Louis Lumière et Léon Gaumont. Cette école forme aux techniques du cinéma, du son, de la photo avec une option prise de vue et traitement par l'image. On y entre sur concours avec un bac + 2. Un diplôme d'État sanctionne trois ans d'études.

Tournage de *Fiction 16* par les premières années de la Femis.

HISTOIRE

GENRES ET FORMES

RÉALISATION

PRODUCTION/DIFFUSION

TECHNIQUES

LIRE UN FILM

Les caméras

Sur le plateau, la caméra est l'élément symbolique de la réalisation d'un film. Depuis le début du siècle, elle n'a cessé de se perfectionner et de s'adapter aux exigences des metteurs en scène. Choisir la caméra, c'est définir le standard de celle-ci et, par là, le format de l'image.

Formats et standards

La caméra est un appareil photographique à répétition qui enregistre des images à la cadence de 24 images par seconde. En fonction du standard choisi, c'est-à-dire de la largeur de la pellicule utilisée à la prise de vue, le metteur en scène précise le format de l'image et les limites du cadre dans lesquelles se déroule la fiction.

Le 35 mm standard classique

☐ Plus que centenaire, la pellicule perforée de 35 mm de largeur reste le standard le plus utilisé. La piste son, présente sur la pellicule, oblige à réduire la place de l'image.
☐ Entre 1930 et 1940, le cinéma utilise une largeur d'image de 22 mm, la hauteur étant de 16 mm. L'image présente un rapport largeur sur hauteur de 1 × 1,37. Au cours des années 50, en partie pour se différencier du format de la télévision, plus carré, des écrans larges se développent. Les films standards sont projetés en utilisant des objectifs à courte focale et des volets réduisant la hauteur de l'image. Le rapport entre la largeur et la hauteur est donc modifié. En France, la majorité des cinéastes opte pour un rapport de 1 × 1,66, c'est-à-dire une largeur de 22 mm sur une hauteur de 13,25 mm.

Les standards supérieurs au 35 mm

☐ Nés avec le cinéma et délaissés progressivement au profit du 35 mm, les standards larges, supérieurs au 35 mm, ont ressurgi dans les années 50, aux États-Unis. Il s'agissait d'offrir aux spectateurs qui délaissaient les salles des productions grandioses. La largeur de l'image se trouve accentuée, le rapport passe à 1 × 2,35.
☐ Ce type de format permet de saisir de grands espaces, de mettre en scène de nombreux acteurs et figurants. C'est l'apogée des westerns, des péplums. Les formats larges, essentiellement le 70 mm, sont quelque peu délaissés aujourd'hui, peu de salles commerciales étant équipées pour projeter ce type de film.

Les standards inférieurs au 35 mm

☐ Le seul standard professionnel inférieur au 35 mm est le 16 mm. La caméra 16, légère, maniable, reste l'auxiliaire du documentariste. Elle est utilisée pour réaliser les courts métrages.
☐ Le 16 mm classique permet une prise de son directe, le format de l'image (rapport largeur × hauteur) est, avec 1,33, le plus carré de tous les formats, le plus proche de celui de l'écran de télévision.
☐ L'utilisation d'une caméra super 16 amène à enregistrer le son séparément. On récupère la surface de la bande son à l'enregistrement. L'image est donc d'un format de 1 × 1,65. L'utilisation du super 16 permet un gonflage de l'image en 35 mm pour d'éventuelles projections en circuit commercial.

■ Deux facteurs d'importance

Le cadre de l'image dépend de deux facteurs : d'une part, de la distance de la caméra par rapport au sujet filmé et, d'autre part, des objectifs choisis.

Le cinéaste, comme le photographe, peut se placer à des distances diverses, s'approcher ou se reculer pour filmer un sujet. C'est pourquoi il détermine d'abord la focale de son objectif.

L'objectif se définit comme le dispositif optique constitué de plusieurs lentilles permettant d'organiser la lumière afin d'obtenir une image sur une pellicule. La focale est la distance qui sépare le foyer, lieu où se forme l'image nette, et le centre de l'objectif.

■ À chaque focale son point de vue

La focale moyenne rend la vision de l'œil humain. Si l'on veut obtenir le même cadre avec une courte focale, il est nécessaire de s'approcher du sujet. Avec une longue focale, le cinéaste est au contraire obligé de s'éloigner de celui-ci. Chaque focale suggère une cohérence de l'espace et du temps. Si un sujet est filmé avec une focale moyenne, l'image projetée sur l'écran rend la réalité. Le spectateur suit l'action telle qu'il aurait pu la voir. Lorsque le réalisateur adopte de longues ou de très longues focales, l'image derrière le sujet filmé apparaît rapidement floue. Les perspectives sont écrasées, la profondeur de champ est réduite. Les mouvements internes des personnages ou des objets, du fond de l'image vers le premier plan ou, inversement, du premier plan vers les seconds plans, semblent ralentis. Les longues focales peuvent donc traduire le rêve, une séquence onirique. Si le metteur en scène choisit une courte focale, l'espace filmé est élargi, la profondeur de champ augmentée, les perspectives exagérées, les mouvements internes accélérés. Les courses poursuites, les séquences violentes des polars américains ou des films de guerre utilisent essentiellement la courte focale comme moyen d'expression.

Chaque scène, chaque séquence doit avoir une cohérence dans le choix des objectifs. Utiliser des focales différentes dans une même scène peut aboutir à l'impossibilité de monter les plans tournés ; on risquerait ainsi de passer d'un plan flou à un plan net pour retrouver un plan flou, ce qui pourrait faire fuir le spectateur.

■ En reportage

Au niveau du reportage, le choix d'une focale est souvent dicté par des considérations d'ordre pratique : utilisation d'un grand angle du fait du manque de recul par rapport au sujet filmé ou au contraire utilisation d'un téléobjectif pour saisir un détail éloigné dont on ne peut se rapprocher.

Pour ne pas avoir à changer d'objectif le reporter peut avoir recours à l'utilisation d'un objectif à focale variable : le zoom.

Du cinéma à la télévision

Pour être diffusés par les chaînes de télévision les films sont projetés sur un écran et filmés par une caméra vidéo. La télévision classique diffuse des images où le rapport entre la largeur et la hauteur de l'image est de 4/3. Les films produits récemment ont un rapport très différent, ils présentent une image plus rectangulaire. Pour le passage à l'antenne les films sont recadrés (une partie de l'image n'est alors pas visible sur l'écran de télévision) ou diffusés avec une bande noire en bas et en haut de l'écran. Les nouveaux formats des téléviseurs : 16/9 permettent de présenter l'essentiel de la production filmique sans recadrage et sans rétrécissement de l'image.

HISTOIRE
GENRES ET FORMES
RÉALISATION
PRODUCTION/DIFFUSION
TECHNIQUES
LIRE UN FILM

Les pellicules

La pellicule est la matière première du film, son support physique. C'est le metteur en scène, en coordination avec le chef opérateur, qui détermine le type de pellicule le plus approprié. De la pellicule et de son traitement dépendent, en grande partie, le résultat esthétique du film.

� Support et sensibilité

☐ Une pellicule cinématographique, comme photographique, est constituée d'une bande transparente et souple recouverte d'une émulsion faite de gélatine et de sels d'argent. La couche sensible contient également des sensibilisateurs grâce auxquels les sels d'argent deviennent réceptifs à toutes les ondes lumineuses, en particulier les trois couleurs primaires qui constituent le blanc. La pellicule couleur est composée de trois émulsions noir et blanc séparées par des filtres afin de les rendre sensibles au rouge, au bleu et au vert.

☐ En fonction de l'intensité de l'éclairage, on utilise des pellicules plus ou moins sensibles capables d'absorber plus ou moins la lumière. La sensibilité se mesure en ISO (International Standard Normalisation), c'est une norme internationale.

☐ Les pellicules très sensibles ont davantage de grain, un rendu moins fin, que les pellicules moins sensibles. Les films de même sensibilité ont un rendu différent suivant les fabricants. Certains tirent vers des couleurs froides, d'autres ont un rendu chromatique plus chaud.

Lumière naturelle ou lumière artificielle ?

Il existe deux types de pellicules : l'une adaptée à la lumière du jour (5 600° kelvin), l'autre pour la lumière artificielle (3 200° kelvin). L'emploi d'un éclairage artificiel réglé à ces deux types de température permet d'obtenir des couleurs uniformes d'une prise à l'autre.

Noir et blanc ou couleur

☐ Les premières pellicules noir et blanc utilisées au cinéma ne rendent pas toutes les couleurs du spectre de la lumière, elles ne permettent pas de présenter toutes les nuances du noir et blanc. Ce n'est qu'à la fin des années 20, avec la généralisation de pellicules dites panchromatiques, que les cinéastes maîtrisent véritablement l'image cinématographique.

☐ Le développement de la couleur prend son essor dans les années 30, mais il faut attendre les années 50 pour que les cinéastes disposent d'une technique performante. À cette époque, pourtant, la couleur reste l'exception, le noir et blanc la règle, avant de s'inverser. Actuellement, le choix est avant tout une volonté d'auteur et/ou une interprétation personnelle de la réalité.

Le suivi du laboratoire

Chaque laboratoire, par ses méthodes de travail, influence la qualité des images. Pendant le tournage, un agent technique, délégué par le laboratoire, suit tous les travaux du film, des essais de pellicule jusqu'au tirage des copies pour les salles de cinéma.

■ Krzysztof Kieslowski

Diplômé de l'école de cinéma de Lodz (Pologne), Kieslowski commence sa carrière comme documentariste et réalisateur de télévision. Il tourne son premier long métrage de cinéma en 1975 et atteint la célébrité internationale en 1979 avec *Le Profane* grand prix des festivals de Moscou et de Gdańsk. C'est surtout avec *Le Décalogue*, série produite à l'origine pour la télévision, que Kielowski s'affirme comme l'un des plus grands cinéastes de sa génération.

En 1991, Kieslowski, avec *La Double Vie de Véronique*, commence une carrière européenne qui se termine après la réalisation de la trilogie *Bleu, Blanc, Rouge*. Kieslowski meurt en effet à l'âge de 52 ans, en avril 1996.

■ *Bleu, Blanc, Rouge*

Kieslowski a voulu exposer sa vision du monde occidental et sa conception des rapports humains dans une trilogie où le traitement de la lumière et de la couleur est en correspondance directe avec le titre des films. *Bleu, Blanc, Rouge* évoquent la devise de la France : Liberté, Égalité, Fraternité. Chaque film a une tonalité différente, correspondant à la couleur choisie : le bleu est dramatique, le blanc se veut une comédie noire, le rouge, plus optimiste, marque une victoire contre l'indifférence.

HISTOIRE

GENRES ET FORMES

RÉALISATION

PRODUCTION/DIFFUSION

TECHNIQUES

LIRE UN FILM

Cadrage et composition

Comme un peintre, le réalisateur définit le format de son image, les limites du cadre. À l'intérieur de celui-ci, il construit et compose son image. Il réfléchit à la place du sujet dans le cadre. Il détermine la hauteur et l'inclinaison de la caméra par rapport au sujet.

L'échelle des plans

L'échelle des plans traduit un rapport de proportion entre le sujet et le cadre :
– *les plans larges* sont essentiellement descriptifs. Ils valorisent le décor dans lequel se situe l'action ;
– *le plan moyen* cadre le personnage en pied. Il permet de suivre les attitudes, les gestes de l'acteur. Le plan moyen introduit très clairement les relations qui existent entre le personnage et le décor ;
– *les plans rapprochés* réduisent la place du décor. Le récit l'emporte sur les informations documentaires. Ces plans ont généralement une fonction narrative. Ils permettent de mettre en valeur les dialogues, la communication entre les personnages.

La composition

☐ *Les horizontales* donnent une impression de calme, d'immensité, elles renforcent l'impression de profondeur et de temps ralenti.
☐ *Les verticales* bloquent au contraire la profondeur, expriment la hauteur, elles dynamisent spatialement et temporellement l'image.
☐ *Les diagonales* donnent un sens de lecture prioritaire. La construction en oblique crée des déséquilibres, provoque l'instabilité et l'antagonisme.
☐ L'image rectangulaire peut être décomposée, divisée en fonction de lignes horizontales et verticales. La composition par moitié crée une sensation d'équilibre, de symétrie, d'égalité. Dans la composition par tiers, l'image est découpée en trois tiers égaux. À la rencontre des lignes des tiers se situent quatre points forts où il est intéressant de placer les éléments principaux d'une image.

Les angles de prise de vue

☐ Lorsque le cinéaste place sa caméra à la hauteur de la vision d'un homme debout, il traduit, d'une manière objective, réaliste, le monde filmé.
☐ La caméra peut être inclinée sur son axe vers le bas, on parle alors d'une plongée. Elle peut servir à décrire un paysage ou un décor devenu plus lisible vu du haut. Elle a aussi pour effet de diminuer, d'éliminer les verticales, ce qui peut provoquer l'impression d'amoindrissement, d'écrasement.
☐ Lorsque la caméra est inclinée sur son axe vers le haut, c'est une contre-plongée. Elle allonge les verticales. Dans le cas où l'on filme un personnage, l'utilisation d'une contre-plongée réduite le valorise, lui donne une impression de puissance. Au contraire, une accentuation de la contre-plongée confère une image négative au personnage.
☐ La vision humaine est celle de l'horizontale. Lorsqu'un cinéaste choisit d'incliner sa caméra sur la gauche ou la droite en gardant l'axe horizontal, il va créer un malaise chez le spectateur.

L'ÉCHELLE DES PLANS

Le **plan général** ou de **grand ensemble** montre une très large fraction d'espace. Il situe rapidement les lieux de l'action mais aussi les relations de l'homme et de l'espace.

Le **plan d'ensemble** présente lui aussi une large fraction de l'espace. Les personnages restent généralement secondaires.

Le **plan moyen** cadre le personnage en pied. Il associe le décor et le personnage.
C'est avec le plan moyen qu'apparaissent le plus souvent les dialogues.

Le **plan américain** cadre le personnage à mi-cuisse. Ce type de plan trouve son origine dans le western.

Le **plan rapproché épaule :** seuls le haut du buste et le visage font partie de l'image.

Le **gros plan** ne cadre que le visage et permet de lire tous les sentiments traduisant l'état intérieur du personnage.

Signalons également l'existence du **plan demi-ensemble**, qui, même si le décor reste essentiel, dirige l'attention sur les personnages, qui deviennent centraux, et le **plan rapproché taille**, qui cadre le personnage jusqu'à la taille.

HISTOIRE

GENRES ET FORMES

RÉALISATION

PRODUCTION/DIFFUSION

TECHNIQUES

LIRE UN FILM

Perspective et profondeur de champ

> L'image cinématographique a deux dimensions. Cependant, elle donne l'illusion d'en avoir une troisième, de présenter du relief et de la profondeur.

La recherche de l'illusion

☐ Au début du cinéma, les cinéastes travaillent en extérieur et obtiennent une image nette sur une grande profondeur. Lors du développement des studios, cette profondeur se réduit du fait de l'utilisation d'un espace scénique théâtral, des faiblesses de l'éclairage et des difficultés de l'enregistrement du son.

☐ Les cinéastes ont voulu raconter une histoire dans un espace bénéficiant d'un champ de netteté très profond. Les déplacements des personnages sont facilités, des actions simultanées peuvent se dérouler à des distances plus ou moins éloignées de la caméra. Le montage se fait alors à l'intérieur du plan : c'est le montage interne. Une séquence peut être tournée en un seul plan, le plan séquence.

La perspective

☐ Le cinéma reprend les règles de la perspective utilisées dans le domaine pictural. Les lignes parallèles qui sont dans le sens de notre regard semblent toutes s'enfuir vers une ligne horizontale imaginaire, perpendiculaire à notre rayon visuel : la ligne d'horizon. Elles paraissent converger en un seul point, appelé point de fuite. Si l'on veut composer une image avec un effet de profondeur marqué, on place le point de fuite à l'intérieur de l'image. Si au contraire, le cinéaste cherche à construire une image écrasée, sans profondeur, les points de fuite convergent hors du cadre.

☐ L'illusion de la profondeur peut être aussi donnée par le chevauchement des formes. Un objet ou un personnage qui en cache en partie un autre donne l'impression d'être situé dans un plan nettement plus proche.

☐ Le contraste des couleurs et de l'éclairage permet aux formes et aux volumes de se détacher, de se mettre en relief, d'augmenter la profondeur dans l'image. En jouant sur toutes les nuances du noir et du blanc, en créant des contrastes ou non de lumière, le cinéma a retrouvé la technique du clair-obscur.

La profondeur de champ

☐ En photographie, au cinéma, seuls les personnages ou les objets situés à une distance précise de l'objectif donnent une image nette sur la pellicule. Tous les autres rayons convergents d'un sujet filmé plus proche ou plus lointain constituent des taches sur la pellicule. Théoriquement, ils devraient tous apparaître flous au visionnement. Cependant, lorsque le film développé est projeté sur un écran, notre œil perçoit comme net une zone plus ou moins profonde à l'avant et à l'arrière du sujet filmé sur lequel a été effectuée la mise au point : c'est la profondeur de champ.

☐ Celle-ci varie selon le type d'objectif et le diaphragme choisi. Avec un objectif à courte focale la profondeur de champ augmente et au contraire se réduit avec un objectif à longue focale. La diminution du diamètre de l'objectif, la réduction de l'ouverture du diaphragme, augmentent la profondeur de champ.

■ **Citizen Kane**
d'Orson Welles, 1941

Après ses échecs comme cantatrice, Suzan tente de se suicider dans sa chambre.

Welles et son chef opérateur Toland réalisent une image nette, du premier plan jusqu'à l'arrière-plan. La profondeur de champ dans ce plan fixe est obtenue par l'éclairage et l'utilisation d'un objectif à très courte focale.

En amorce de l'image, un verre, une cuillère et un flacon de médicament sont filmés en gros plan.

Au second plan, le lit est plongé dans l'ombre.

On distingue très mal le visage de Suzan dont on entend seulement les râles. Tout au fond de la chambre, la porte est fortement éclairée.

Des coups sourds retentissent.

Kane force la porte, il entre dans la chambre et apparaît dans l'encadrement de la porte, suivi par un domestique ; il se précipite vers Suzan.

La force dramatique du plan vient de l'association dans un même champ de netteté du verre, du flacon et de la porte. Cette association désigne le véritable responsable du suicide de Suzan : Kane !

HISTOIRE
GENRES ET FORMES
RÉALISATION
PRODUCTION/DIFFUSION
TECHNIQUES
LIRE UN FILM

Les mouvements de caméra

Le cinéma est l'art de reproduire le mouvement. Celui-ci existe soit à l'intérieur d'un cadre fixe (le plan fixe), soit dans un cadre en mouvement (le travelling, le panoramique).

Le plan fixe

La caméra reste fixée sur le pied, il n'y a aucune modification du cadre. Les mouvements de faible ampleur de la caméra et le recadrage, qui ont pour objet de garder une composition constante dans le cadre, peuvent être associés au plan fixe. Dans ce plan, la dynamique de l'image provient des mouvements internes.

Le travelling

Le travelling (en anglais, *to travel* signifie voyager) indique tout déplacement de la caméra horizontalement ou verticalement. En studio, quand les conditions de tournage sont idéales, la caméra est fixée sur un chariot muni de roulettes qui se déplace sur des rails. Cependant, pour réaliser des travellings, divers moyens peuvent être utilisés : fauteuil roulant, voiture, hélicoptère, etc.

Le panoramique

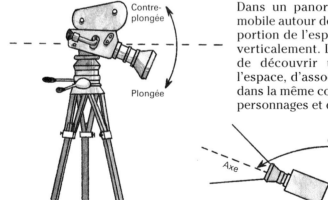

Dans un panoramique, la caméra est mobile autour de son axe. Elle balaie une portion de l'espace horizontalement ou verticalement. Le panoramique permet de découvrir une large fraction de l'espace, d'associer dans le même plan, dans la même continuité temporelle, des personnages et des décors éloignés.

Panoramiques vertical et horizontal

La trajectoire

La trajectoire combine travelling et panoramique. La réalisation des trajectoires nécessite l'utilisation de différents modèles de grues pour porter la caméra.

La caméra libre

Avec la maniabilité accrue des caméras, la prise de vue peut s'effectuer sans pied. Le cadreur doit faire preuve d'une grande maîtrise pour éviter, lors de ses déplacements, des tremblements de l'image. Il peut s'équiper d'un harnais, ou *steadycam*, qui fixe la caméra devant lui.

LE TRAVELLING

■ Le travelling optique

Les progrès de l'optique ont donné aux cinéastes la possibilité de réaliser des travellings optiques ou zoom en utilisant des objectifs à focale variable. La modification de la focale donne une impression d'avancée ou de recul.

Cependant, l'utilisation du zoom n'est pas du tout comparable à un véritable travelling.

Le passage d'une courte focale à une longue focale, ou inversement, entraîne des modifications de l'image. Les perspectives se modifient, les premiers plans et les arrière-plans se rapprochent, la profondeur de champ évolue.

Un travelling en action.

■ Le travelling de découverte

Les personnages et les objets sont fixes, la caméra seule est en mouvement.

Lors d'un travelling avant, la caméra se rapproche, le champ se rétrécit progressivement. L'objet ou le personnage filmé est isolé, souligné.

Lors d'un travelling arrière, la caméra s'éloigne progressivement du personnage. Le champ s'élargit, provoquant le passage du particulier au général.

La découverte d'une action ou des décors peut être aussi obtenue par un déplacement latéral ou vertical de la caméra.

■ Les travellings d'accompagnement

Le cinéaste peut décider de suivre un personnage ou un objet dans son déplacement par l'utilisation de travellings avant, arrière, latéraux ou verticaux. L'objet filmé donne l'impression d'être immobile. Le mouvement est rendu par le défilement du décor dans l'arrière-plan.

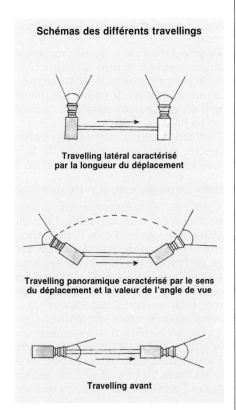

Schémas des différents travellings

Travelling latéral caractérisé
par la longueur du déplacement

Travelling panoramique caractérisé par le sens
du déplacement et la valeur de l'angle de vue

Travelling avant

HISTOIRE

GENRES ET FORMES

RÉALISATION

PRODUCTION/DIFFUSION

TECHNIQUES

LIRE UN FILM

La lumière

La lumière est la source d'énergie indispensable à toute prise de vue car les cinéastes doivent régulièrement recourir à des éclairages artificiels. Bien exploitée, la lumière sculpte et modèle les contours et participe à la création de la tonalité, du climat esthétique et psychologique du film.

L'éclairage nécessaire

☐ Dès la naissance du cinéma, le cinéaste part à la recherche d'un ciel toujours bleu. Les plateaux sont couverts d'un voile de tulle pour diffuser la lumière solaire et éviter des contrastes violents.

☐ Du fait de la faible sensibilité des pellicules, on a rapidement recourt à des éclairages artificiels. La recherche des gains de sensibilité est une constante. Dans les années 30, les pellicules couleur avaient une sensibilité de 8 ASA. Maintenant, les cinéastes disposent de pellicules de 500 ASA.

☐ En studio, l'intensité souhaitée de la lumière est obtenue en plaçant une série de projecteurs afin de créer un espace chromatique plus ou moins réaliste. Lorsque la lumière est directe, l'image présente des oppositions fortes entre des zones claires et des zones sombres. Sur les visages, des ombres sont marquées, les traits sont durcis.

☐ Dans la nature, le ciel reste rarement uniforme, les passages nuageux modifient régulièrement l'intensité et la directivité de la lumière. Les prises de vue espacées dans le temps risquent donc de se raccorder difficilement. L'emploi d'un éclairage additionnel permet de pallier ces inconvénients, de maintenir une unité stylistique et esthétique ; il peut aussi être utilisé lorsque la lumière perd de son intensité ou dans un lieu mal éclairé.

☐ L'éclairage additionnel est équilibré en fonction du type de pellicule choisi. Les projecteurs sont soit réglés à 5 600° kelvin dans le cas de l'utilisation d'une pellicule « lumière du jour », soit à 3 200° kelvin dans le cas d'une « pellicule artificielle ».

La lumière au service de l'expression

☐ C'est avec le cinéma expressionniste allemand que l'éclairage devient un élément essentiel d'écriture, au même titre que la mise en scène, le décor ou le jeu des acteurs. Les lumières très contrastées composent l'espace, les zones d'ombre et de lumière s'opposent brutalement dans l'affrontement du bien et du mal. L'éclairage participe à la symbolique de l'expression.

☐ Le développement du star-system aux États-Unis repose sur un éclairage qui ne correspond plus à une volonté de réalisme mais permet l'idéalisation de l'acteur. Le visage éclairé en gros plan exprime des sentiments sans perdre sa beauté. Même la souffrance doit rester esthétique.

☐ La hiérarchie des acteurs impose une hiérarchie des éclairages, mais l'application stricte de ces principes aboutit progressivement à une absence de créativité.

☐ Face à l'académisme des studios, le néoréalisme italien et la Nouvelle Vague réagissent en filmant le réel tel qu'il est, sans éclairage valorisant. Le film devient un reportage sur l'acteur, un reflet de la réalité.

LES PROPRIÉTÉS DE LA LUMIÈRE

■ La diffusion ou directivité

La lumière qui arrive sur un objet peut être analysée selon sa direction. Dans la nature, si le ciel est voilé, brumeux, le soleil n'est pas visible. Les rayons sont réfractés par les gouttelettes en suspension dans l'air, la lumière est alors diffuse. L'éclairage diffus provoque une représentation plate, sans relief et sans ombre. Si, au contraire, le ciel est parfaitement dégagé, les rayons du soleil frappent directement les objets ou les sujets. Les couleurs apparaissent inexistantes dans les zones d'ombre, saturées dans les zones éclatantes. Dans les studios ou en extérieur, la diffusion ou directivité peut être obtenue par l'emploi des projecteurs. Dirigés sur un acteur ou sur une partie du décor, ils créent des contrastes. L'emploi de feuilles d'aluminium, de cartons mats, d'un mur ou d'un plafond blanc, permettent de diffuser la lumière de façon uniforme.

Henri Alekan, chef opérateur, a signé la photographie de plus de 100 films réalisés par Cocteau, Carné, Losey, Wenders...

■ L'intensité ou luminance

L'intensité de la lumière ou luminance peut être mesurée à l'aide d'une cellule photo-électrique. En extérieur, l'intensité varie dans le lieu donné en fonction de l'heure de la journée, de la saison, des nuages.
En studio, l'intensité provient de la puissance des éclairages installés.
L'intensité varie aussi en fonction de l'éloignement du sujet par rapport à la source lumineuse. En effet, c'est la lumière réfléchie par le sujet filmé qui est toujours mesurée et non l'intensité des sources d'éclairage. Une luminance élevée permet de travailler avec des diaphragmes à ouverture réduite, augmentant ainsi la profondeur de champ.

■ La température de couleur

La lumière blanche n'est que l'addition de trois couleurs primaires : le bleu, le vert et le rouge. Cependant, la part de ces trois couleurs varie selon les heures de la journée : le matin, le jaune domine, à midi c'est au tour du bleu, en fin de journée le rouge l'emporte. Mais nous ne parvenons pas à saisir ces nuances, grâce à la capacité d'adaptation de notre œil.
Toute lumière a, selon son spectre, une température de couleur différente. Au lever du soleil, la température est d'environ 3 000° kelvin, au zénith, elle augmente pour atteindre 5 500° kelvin puis elle redescend progressivement.

Les Ailes du désir de Wenders dont Alekan dirigea la photographie.

HISTOIRE

GENRES ET FORMES

RÉALISATION

PRODUCTION/DIFFUSION

TECHNIQUES

LIRE UN FILM

Le décor

Le décor conventionnel de théâtre n'a pas réussi à s'imposer au cinéma. Ce dernier a préféré construire son propre univers sur les plateaux de tournage ou dans des décors naturels. Aujourd'hui, le décor participe à l'élaboration de l'univers propre à chaque film. Il est devenu un moyen d'expression artistique à part entière.

Le décor en studio

☐ Les premières réalisations ont utilisé des décors de convention, des toiles peintes en trompe-l'œil qui ont permis à Méliès de créer un univers à la fois naïf et féerique et à Charles Pathé de réaliser ses actualités reconstituées.

☐ L'élaboration progressive du langage cinématographique signifie son éloignement du théâtre et, parallèlement, le développement de la construction de décors en trois dimensions. Dès la Première Guerre mondiale, de vastes décors sont construits dans les studios. *Cabiria* (1914) de Pastrone reconstitue le monde antique du IIIe siècle av. J.-C. Le film est un jalon dans l'histoire des productions à grand spectacle.

☐ Les cinéastes prennent conscience que le décor n'est pas simplement une convention, mais qu'il participe à la création de l'univers spatio-temporel du film. Carl Theodor Dreyer (1889-1968), dans ses premiers films, assure à la fois la mise en scène et la décoration. Le décor participe à la dramaturgie.

☐ C'est avec le mouvement expressionniste allemand que le décor devient un élément essentiel du récit. Le film cesse d'être l'expression de la réalité. Les éléments naturels sont déformés, stylisés, symboliques. Ce courant a largement influencé le cinéma mondial, du cinéma soviétique à Orson Welles. Woody Allen a cherché dans *Ombres et Brouillard* (1992) à recréer cette atmosphère irréaliste et angoissante.

Le décor naturel

☐ Les cinéastes ont voulu se rapprocher du réel en sortant les caméras des studios. Ainsi, les westerns nous racontent l'épopée d'un peuple, la conquête d'un espace à travers une galerie de portraits. La nature devient le décor des films.

☐ Tourner en décor naturel nécessite cependant des aménagements. Si le récit se déroule à une époque éloignée de la nôtre, il est indispensable d'éviter les poteaux électriques ou toute forme d'anachronisme historique qui pourrait apparaître dans l'image.

Décor et réalisme

☐ Des écoles ont parfois systématisé le rejet du décor. Les cinéastes néoréalistes de l'Italie de l'après-guerre et ceux de la Nouvelle Vague ont transporté leur caméra sur les lieux du récit pour plus de réalisme.

☐ Cependant, le réalisme ne s'oppose pas obligatoirement au décor de studio. Le cinéaste de fiction ne cherche pas seulement à reproduire la réalité, il en donne sa vision, son interprétation. Les décors de Trauner participent à l'univers réaliste et poétique du tandem Carné-Prévert.

☐ Certains cinéastes, par choix esthétique, peuvent même modifier la réalité. Antonioni, dans *Le Désert rouge* (1964) et *Blow up* (1967), fait repeindre les murs, les façades des maisons, les usines, mais aussi les pelouses et les arbres.

ALEXANDRE TRAUNER

■ De « maladie » en « maladie »

Alexandre Trauner (1906-1993), décorateur français, définissait son métier comme une sorte de maladie : « Dès que je lis un scénario, l'incubation commence. C'est comme si un microbe s'infiltrait dans mon sang. Quand le film est terminé, je suis guéri. » Et c'est ainsi que, de « maladie » en « maladie », il a signé les plus beaux décors de l'histoire du cinéma.

L'un des dessins du décor de *Hôtel du Nord*.

Peintre de formation (il a fait des études à l'école des Beaux-Arts de Budapest, où il est né), il devient, après son installation à Paris en 1929, assistant du grand décorateur de cinéma Lazare Meerson. Nommé chef décorateur en 1937, il commence à créer des décors pour Marcel Carné : *Drôle de drame* (1937), *Quai des brumes* (1938), *Hôtel du Nord* (1938), *Le jour se lève* (1939).

Après la guerre, il travaille de plus en plus avec les cinéastes américains. Il signe les décors de huit films de Billy Wilder, dont *La Garçonnière* (1960) qui lui vaut un oscar.

Dans les années 80, il collabore avec Bertrand Tavernier : *Coup de Torchon* (1981) et *Autour de minuit* (1986), Claude Berri : *Tchao Pantin* (1980) et Luc Besson : *Subway* (1980).

Préparation du décor du *Jour se lève*.

Dès que j'ai lu l'histoire et que j'ai commencé à travailler avec Prévert et Viot, j'ai su que l'ouvrier, joué par Gabin, devait être isolé, quelque part là-haut, avec au-dessous, la foule. Évidemment, plus c'est haut, plus c'est cher. Et on avait un producteur, un brave homme, qui discutait chaque étage pied à pied ! (Alexandre Trauner)

HISTOIRE

GENRES ET FORMES

RÉALISATION

PRODUCTION/DIFFUSION

TECHNIQUES

LIRE UN FILM

Le son

Dès la naissance du cinéma, l'image a toujours recherché le son. Depuis la projection du *Chanteur de jazz* le son est devenu un des éléments constitutifs d'un film. Il permet d'accroître l'authenticité, le réalisme d'un récit et en favorise la compréhension. On distingue les sons parlés (la voix) et les sons d'ambiance.

La prise de son

☐ Au tournage, le son et l'image sont enregistrés séparément. C'est lors du montage et du mixage que le son retrouve l'image.

☐ Le réalisateur peut décider de conserver au montage le son enregistré lors du tournage : c'est le son direct. La qualité d'enregistrement doit être irréprochable. La prise de son direct réduit les coûts financiers en évitant une postsynchronisation par les acteurs. Le recours au son direct augmente l'effet de réalisme.

☐ Le metteur en scène peut choisir d'utiliser un son témoin. L'enregistrement au tournage sert de repère lors des opérations de postsynchronisation des voix. Le recours à l'utilisation d'un son témoin est souvent rendu obligatoire par des conditions difficiles d'enregistrement.

☐ Si, dans un studio, la qualité de prise de son peut être presque parfaite, il n'en va pas de même dans le cas d'un tournage en extérieurs. L'ingénieur du son concentre alors tous ses efforts sur les prises de son d'ambiance et de sons parlés, qui seront utilisés lors de la finition du film. Il constitue, de toute façon, deux bandes son, une pour les voix, une pour les bruits.

La voix

☐ Le rôle du preneur de son est de privilégier la voix et les dialogues. L'utilisation d'un micro au bout d'une perche ou d'un micro-cravate permet de prendre uniquement les voix et d'éliminer les bruits parasites.

☐ À l'enregistrement, la perspective sonore de l'échelle des plans n'est pas respectée : on obtient, par exemple, un gros plan sonore même si les personnages sont éloignés.

☐ Au mixage, il est nécessaire de rétablir l'accord des échelles de plan, image et son. La sensation de proximité ou d'éloignement est alors donnée par le niveau sonore. Il suffit, en studio, d'en moduler l'intensité.

☐ Dans le cas d'enregistrement de voix dans des lieux qui possèdent une grande réverbération (résonance), comme un parking ou une église, on peut reproduire cet effet sur la console de mixage.

Ambiance et effets sonores

☐ L'ingénieur du son met en mémoire des sons qui sont destinés à être incorporés dans la bande définitive. Il enregistre les ambiances des lieux de tournage. Chaque lieu a ses propres caractéristiques sonores. Il collecte des sons qui permettront de réaliser des effets : claquements de porte, grincements de serrure, etc.

☐ L'ingénieur peut utiliser des sons déjà enregistrés et faire appel aux ressources de sonothèques. Cependant, les bruiteurs professionnels constituent leurs propres banques de données sonores.

DU PHONO À LA STÉRÉO

■ L'image à la recherche du son

L'image a toujours recherché le son. Edison a associé son kinétoscope et le phonographe inventés par lui en 1877. Les frères Lumière déposent un brevet pour « un reproducteur simultané des mouvements et des sons dans les projections de scènes animées ». Dès 1912, le Gaumont-Palace offre des sujets sonores, souvent musicaux. Les voix sont enregistrées d'abord sur un disque, les acteurs étant filmés ensuite en *play-back*. Le cinéma sonore bute, cependant, sur la qualité médiocre de l'enregistrement et de la diffusion des sons, et surtout sur la difficulté de la synchronisation.

■ L'apparition du parlant

Les recherches se multiplient sans interruption jusqu'à la découverte du cinéma parlant dont les frères Warner sont à l'origine. En 1926, les Warner lancent un premier long métrage sonore avec musique et bruitages, intitulé : *Dom Juan*. Le film est réalisé par Alan Crosland. En 1927, a lieu la première projection de cinéma parlant d'Alan Crosland : *Le Chanteur de jazz* interprété par Al Johnson. Le son est enregistré sur disque, synchronisé avec le projecteur suivant le procédé Vitaphone.
Dans les années 30 le succès phénoménal du film amène les concurrents de la Warner à se lancer dans la production de films parlants, avec d'autres techniques d'enregistrement, les sons étant synchronisés par des procédés photographiques sur une piste optique. C'est aux États-Unis et en Allemagne que les progrès d'enregistrement et de diffusion sont les plus spectaculaires. Le son optique peut être lu en même temps que l'image lors du tirage. Ce procédé permet de projeter les films dans n'importe quel pays.

Le Chanteur de jazz (1927).

■ Le son magnétique

Dans les années 50, le son optique est remplacé par le son magnétique lors des enregistrements. Le son est enregistré séparément de l'image. Un signal de synchronisation s'inscrit sur la bande magnétique lors de l'enregistrement pour faciliter son report lors du montage et du mixage. Le son est ensuite transféré sur une piste optique.

■ La stéréophonie

Au tournage, les bruits et les voix sont enregistrés sur des pistes séparées. La stéréophonie est réalisée au mixage.
Le système Dolby Stéréo permet de diffuser quatre sources sonores en salle : une ambiance en fond de salle, trois haut-parleurs d'écran. Le haut-parleur central de l'écran est réservé aux voix, les haut-parleurs latéraux diffusent la musique et les effets sonores.

HISTOIRE

GENRES ET FORMES

RÉALISATION

PRODUCTION/DIFFUSION

TECHNIQUES

LIRE UN FILM

La musique

De l'accompagnement du pianiste à la musique électronique, le film ne peut vivre sans la musique. Elle est un élément essentiel de la bande son. Elle nourrit l'imaginaire et participe à la création de l'univers fictionnel. Parent pauvre en France, elle est pleinement adulée à l'étranger.

La musique au cinéma

☐ À la naissance du cinéma, l'accompagnement musical avec pianiste ou orchestre a pour but de couvrir le bruit du projecteur. Mais la musique se met rapidement au service du film pour renforcer le rythme et l'émotion.

☐ À cette époque, les musiques de film n'existent pas en tant que genre autonome. Elles sont puisées dans le répertoire existant ou sont des créations originales. Tous les types peuvent être utilisés : classique, jazz, populaire, etc.

La musique de cinéma

☐ De grands compositeurs écrivent des partitions sur les images du film. Camille Saint-Saëns compose la musique de *L'Assassinat du duc de Guise* (1908), de Calmettes et Le Bargy. Érik Satie, en 1924, met en musique *Entr'acte* (1924), film muet de René Clair, Prokofiev collabore avec Eisenstein.

☐ Le nom de certains musiciens est lié à celui de grands réalisateurs. Bernard Herrmann est le musicien de Welles avant de travailler avec Hitchcock. Nino Rota écrit des partitions qui complètent les rêves de Fellini. Le nom de Delerue reste attaché aux auteurs de la Nouvelle Vague et celui d'Ennio Morricone à Sergio Leone.

Musique et imaginaire

☐ La musique joue un rôle essentiel dans notre perception du film et la tire vers l'imaginaire. Elle obéit à des codes instrumentaux exprimant des sensations et des émotions. Elle participe à la perception du rythme. Walt Disney lance ses souris à l'assaut de l'escalier, mouvement rythmé par toutes les notes de la gamme ascendante, puis les souris dévalent au rythme endiablé de la gamme descendante : c'est le *Mickey Mousing*.

☐ Par ailleurs, la musique permet de dilater, de contracter ou de figer à volonté l'espace et le temps. En effet, ces notions sont à la fois réelles et psychologiques. Une minute de silence est insupportable si on l'applique à la lettre. Accompagnée d'une musique très enlevée, elle ne paraît pas avoir la même durée.

La musique, parent pauvre du cinéma ?

☐ La musique de cinéma continue souvent à évoluer dans une sorte de *no man's land* culturel et économique dans les pays européens. La critique de cinéma et la critique musicale semblent parfois l'ignorer. En France, la musique n'est pas inscrite dans le budget de la production. Les compositeurs sont payés sur les entrées et reçoivent 0,8 % du prix du billet.

☐ Aux États-Unis, il existe une ligne budgétaire importante attribuée à la musique. Tous les grands studios possèdent leur département musique. Les compositeurs disposent de moyens considérables : grands orchestres symphoniques, musique électronique seule ou combinée avec de grands ensembles.

DE LA MUSIQUE AVANT TOUTE CHOSE

■ Georges Delerue

« Une des chances de ma vie, c'est d'avoir fait de la musique de films », disait Georges Delerue. Ce musicien français, né à Roubaix en 1925, entreprend des études classiques avec Darius Milhaud et Henri Busser. Il obtient le Premier Prix de piano au conservatoire et le prix de Rome. Le nom de Georges Delerue reste lié aux films de la Nouvelle Vague : Godard (*Le Mépris*, 1964), Resnais (*Hiroshima mon amour*, 1958). C'est surtout avec Truffaut qu'il a une intense collaboration. Après *Tirez sur le pianiste*, en 1961, Truffaut lui confiera sept autres films dont *Jules et Jim* (1961), *Les Deux Anglaises et le Continent* (1971), *La Nuit américaine* (1973)…

Comme Michel Colombier, Maurice Jarre, Michel Legrand, Francis Lai, Georges Delerue a été appelé à Hollywood le temps d'un film et il y est resté. Compositeur prolixe (plus de 120 longs 127 métrages), il est mort à Los Angeles en 1992.

■ Ennio Morricone

Né à Rome en 1928, Ennio Morricone a composé chansons et symphonies avant de s'imposer au cinéma. C'est sa collaboration suivie avec Sergio Leone qui le fait connaître du grand public, de *Pour une poignée de dollars* (1964) à *Il était une fois dans l'Ouest* (1968).

Le succès de ses compositions dépasse leur simple diffusion dans les salles de cinéma. On retient facilement ses pièces valorisant un instrument (l'harmonica, par exemple), fondées sur des rythmes martelés et obsédants, assorties de chœurs (*Il était une fois la Révolution*, 1971, et son « chom-chom »…).

Avec des musiciens comme Vangelis ou, par la suite, Éric Serra, il contribue à faire de la musique un élément central du film comme composition audiovisuelle. Il travaille avec des réalisateurs très différents, tels Pier Paolo Pasolini (*Théorème*, 1968), Bernardo Bertolucci (*1900*, 1976), Henri Verneuil (*Le Clan des Siciliens*, 1969) et toujours Sergio Leone (*Il était une fois l'Amérique*, 1984).

À Hollywood, il compose pour le film de Terence Malik, *Les Moissons du ciel* (1978), une partition empreinte de la plus grande mélancolie.

HISTOIRE
GENRES ET FORMES
RÉALISATION
PRODUCTION/DIFFUSION
TECHNIQUES
LIRE UN FILM

Trucages et effets spéciaux

> Depuis Méliès, le cinéma aime les trucages. Aujourd'hui, ils se tournent le plus souvent en laboratoire et sont inséparables de leurs complices : les effets spéciaux.

Les trucages dès l'origine du cinéma

Des générations de spectateurs ont été fascinés par *Le Voyage dans la Lune*, de Méliès (1902), l'ouverture de la mer Rouge devant les Hébreux (*Les Dix Commandements*, de Cecil B. De Mille, 1923 et 1956) ou terrorisés par l'apparition de King Kong tenant dans ses mains la fragile Fay Wray (de Cooper et Schoedsack, 1933). Depuis une vingtaine d'années, les trucages ont pris une place considérable avec le développement des films fantastiques et de science-fiction de la production nord-américaine.

Les trucages au tournage

☐ Les trucages essentiels ont cherché à superposer des images filmées dans des lieux différents par le recours à la transparence ou l'emploi du cache/contre-cache.
☐ Dans le cas de la transparence, l'acteur évolue devant un écran translucide sur lequel est projeté un film préalablement enregistré. Pour que le spectateur soit dupe, il faut des réglages très précis, d'importants aménagements de studio.
☐ Le principe de cache/contre-cache permet de superposer deux images. Si l'on désire placer la tour Eiffel sur une colline, on filme la tour avec un cache qui masque l'ensemble de l'environnement parisien. On réalise ensuite le contre-cache à la forme du décor qui entoure la tour. Ce contre-cache est fixé dans la caméra ou devant l'objectif, on filme alors la colline. En superposant les deux films, on obtient l'effet recherché. Actuellement, le procédé le plus utilisé consiste à filmer un comédien sur un fond bleu. Le bleu est choisi parce qu'il est absent de la pigmentation de la peau. En recopiant le film à l'aide de filtres appropriés, on sépare l'acteur de son fond. On obtient alors des caches et contre-caches parfaits.
☐ De nombreux effets climatiques sont obtenus à la prise de vue. Les fumigènes ou la vaporisation de mélange d'huile et de pétrole donnent un *smog* londonien idéal. Différents types de lances à eau produisent crachins ou pluies de mousson. Une maquette, une vitre peinte placées devant l'objectif de la caméra masquent un élément indésirable ou complètent partiellement un décor. Une fenêtre du studio ouverte dévoile une rue de Paris, de New York... alors qu'il ne s'agit que d'une photographie ou d'une toile peinte.

Les trucages en laboratoire

En laboratoire, il est possible de jouer sur la vitesse du film : réalisation de marche arrière, ralenti, accéléré, etc. Les cinéastes ont de plus en plus recours aux techniques informatiques qui permettent toutes les transformations ou déformations de l'image. Ces images virtuelles sont mixées en laboratoire avec des plans de films réalisés avec des acteurs. La maîtrise de cette technologie marque une étape importante de l'évolution du cinéma puisque l'image de synthèse peut être réalisée sans enregistrement de la réalité.

126

Le Portrait mystérieux, Méliès, 1899.

King Kong, Cooper et Schoedsack, 1933.

Georges Méliès, illusionniste et prestidigitateur, invente une grande partie des trucages, surimpression d'images, inversion des mouvements, disparitions, etc.
Willis O'Brien réalise pour *King Kong* une série de trucages toujours utilisés de nos jours (dans *Jurassic Park*, par exemple) : animation de modèles réduits filmés image par image, peintures sur verre, transparence, etc.

Jurassic Park, Steven Spielberg, 1997.

Actuellement une grande partie des trucages sont réalisés grâce à l'informatique. L'ordinateur contrôle les déplacements des caméras et des maquettes. Dans la même image, les acteurs côtoient des images de synthèse, comme l'illustre magnifiquement *Qui veut la peau de Roger Rabbit ?*

Georges Méliès : le père du trucage cinématographique

Méliès (1861 - 1938) commence sa carrière comme illusionniste. À partir de 1898, il achète et dirige le théâtre Robert - Houdin. Il y donne des spectacles de magie.
En décembre 1895, il assiste à la projection des frères Lumière au Grand Café. Il propose à Antoine Lumière d'acheter l'appareil. Celui - ci refuse. Méliès se procure un appareil à Londres et tourne ses premiers films. En 1897, il construit ses studios à Montreuil - sous - Bois. Il réalise plus de cinq cents films d'illusion, de trucage et des actualités reconstituées comme *L'Affaire Dreyfus* ou *L'Explosion du Cuirassé Maine*.

Qui veut la peau de Roger Rabbit ?, R. Zemeckis, 1988.

HISTOIRE

GENRES ET FORMES

RÉALISATION

PRODUCTION/DIFFUSION

TECHNIQUES

LIRE UN FILM

Le générique

Présent au début et à la fin du film, le générique livre aux spectateurs le titre et les noms des principaux artisans de l'œuvre ainsi que d'autres informations, parfois implicites : lieux du tournage, nom du couturier... De forme simple, il peut également être une œuvre d'art à lui seul.

Les informations

☐ La lecture attentive d'un générique permet généralement de savoir quelle firme distribue le film, qui l'a produit, écrit ou adapté, qui l'a mis en scène. Le générique *crédite* (c'est le terme anglais) des personnes physiques ou morales dont les activités spécifiques ont permis l'élaboration du film. Il dresse la liste des techniciens, comédiens, sponsors, indique les lieux de tournage (studio ou sites naturels), l'année de sortie du film, l'origine des morceaux musicaux utilisés, etc.

☐ Ces informations sont hiérarchisées par leur ordre de présentation et par leur mise en valeur graphique (noms isolés/noms groupés, gros ou petits caractères, minuscules ou majuscules), parfois prévus dans les contrats.

Les autres fonctions du générique

☐ Le générique rappelle au spectateur que le cinéma est un ensemble d'institutions et que le film est un objet fabriqué. Il attribue à chacun sa fonction, son rôle : producteur, habilleur, perchiste, scripte, etc. Il constitue la fiche d'identité du film.

☐ Il délimite aussi l'œuvre qu'il présente puisqu'il l'ouvre et la ferme. Il assure la clôture du film sur lui-même ainsi que la différenciation d'avec les autres films. Certains films comportant un pré-générique (*En quatrième vitesse,* de R. Aldrich, 1955), un postgénérique (*Le Secret de la pyramide,* de B. Levinson, 1985) ou pas de générique du tout (*À bout de souffle,* de J.-L. Godard, 1959) jouent avec cette fonction démarcative.

☐ Enfin, le générique fait entrer le spectateur dans le film. Il le prépare, à travers la musique ou les sons, par une ou plusieurs images de fond, grâce à la forme des lettres, au genre, à la tonalité générale, voire aux différents thèmes du film. Le générique de *Laura* (O. Preminger, 1944), accompagné d'une musique sentimentale, défile devant un tableau représentant une belle jeune femme tandis qu'une ombre se devine sur le mur ; celui de *L'Impasse* (B. de Palma, 1994) se superpose aux images de Carlito transporté, agonisant, sur un chariot roulant sur le quai d'une gare.

Les formes du générique

Cartons se succédant sur un fond neutre ou « déroulant » présentant une longue liste de noms, le générique peut aussi donner lieu à des fantaisies graphiques (voir ceux que Saül Bass a dessinés pour Hitchcock ou Preminger), à un mini-film (voir *La Panthère rose* de Blake Edwards en 1964 et son célèbre dessin animé) ou à quelque composition visuelle et sonore. Sacha Guitry aimait « parler » ses génériques et présenter lui-même aux spectateurs ses comédiens et son équipe technique, en une mise en scène volontiers cocasse (*Désiré* en 1937, par exemple). *Le Mépris*, de Godard (1963) s'ouvre sur un long plan-séquence : une caméra s'avance vers le spectateur tandis qu'une voix *off* dit le générique.

Saül Bass, à gauche sur la photo, a conçu de nombreux génériques au graphisme sophistiqué, presque abstrait. Il a notamment travaillé avec Hitchcock (ci-contre, le générique de *Psychose*), Preminger (ci-dessous, le générique de *L'Homme au bras d'or*) et Scorsese (en bas, à droite, le générique de *Casino*). Il a lui-même réalisé un film, *Phase IV*, en 1974.

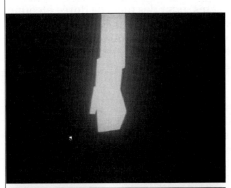

HISTOIRE

GENRES ET FORMES

RÉALISATION

PRODUCTION/DIFFUSION

TECHNIQUES

LIRE UN FILM

Le scénario

Le scénario d'un film narratif découpe l'histoire en scènes de manière à capter l'attention du spectateur, à susciter des émotions et, éventuellement, la réflexion. Les scénaristes, trop souvent méconnus du public, sont les architectes des fictions filmiques.

La structure dramatique

☐ Elle est héritée du théâtre ou du roman, souvent conforme au découpage préconisé par Aristote dans sa *Poétique*. Le modèle dominant comporte trois actes :
– *le premier acte* est celui de la mise en place (présentation des personnages, exposition de la situation et du contexte, installation des conflits) ; il se termine par un tournant (événement externe ou revirement interne) réorientant l'intrigue ;
– *le deuxième acte* confronte le ou les personnages avec la situation conflictuelle ou problématique mise en place, selon diverses péripéties ;
– un second tournant ouvre sur *le troisième acte*, celui de la résolution débouchant sur le dénouement de l'histoire, heureux, tragique ou « neutre ».
☐ Le plus souvent les trois actes s'agencent en durées précises : un quart de la durée totale du film pour le premier, la moitié pour le second, le dernier quart pour le troisième. Il existe, bien sûr, d'autres modèles structurels : films en deux actes, avec un tournant central, en quatre ou cinq actes, pour des films de durée étendue (*Cléopâtre*, de Joseph Mankiewicz en 1963, par exemple, d'une durée de 243 minutes). Enfin, d'autres films transgressent ces modèles soit en distendant ou raccourcissant les durées, soit en négligeant d'exploiter la technique des tournants (*L'Avventura*, de Michelangelo Antonioni en 1960, par exemple).

L'histoire, l'intrigue, le sujet

☐ Le synopsis vise à résumer l'histoire contée dans le film. Mais cette histoire peut être constituée de plusieurs intrigues parallèles ou entrecroisées. Dans *La Règle du jeu* (Jean Renoir, 1939), plusieurs intrigues sentimentales se recoupent, notamment celles des maîtres et des domestiques. Dans *Independance Day* (Emmerich, 1996), l'histoire de l'attaque de la Terre par des extraterrestres est tissée d'intrigues secondaires (celles du savant juif voulant reconquérir son épouse, de l'alcoolique en quête de rachat, du jeune couple de Noirs, du président des États-Unis).
☐ Le film ne se borne pas à raconter, il dit aussi quelque chose à propos de ce qu'il raconte : c'est ce qu'on entend par « sujet ». Dans *La Règle du jeu*, Renoir parle de l'amour (« qui est fait pour voltiger »), mais aussi de l'insouciance apparente et de l'irresponsabilité des Français en 1939, alors que la guerre est imminente.

Deux astuces parmi d'autres

☐ *Le Mac Guffin* est l'objet banal, l'objet-prétexte, qui déclenche l'intrigue. On oublie parfois, au cours de l'histoire, qu'il s'agit de retrouver un microfilm ou un chat.
☐ *L'implant* est un détail (un vêtement, un geste, une parole, un fait) apparemment anodin et qui révélera son importance dans la suite de l'histoire. Il participe de l'art des préparations. Dans *Alien, le huitième passager*, l'aspect de l'épave constitue une sorte d'implant visuel : il ressemble à l'intérieur d'un immense corps disloqué.

■ La structure dramatique

Alien est un film de science-fiction britannique dont le scénario a été écrit par Don O'Bannon et Ronald Shusett. Le premier de la série fut tourné par Ridley Scott en 1979.

Le film dure environ 115 minutes. Le premier acte présente le cargo spatial Nostromo ainsi que son équipage, détourné de son chemin vers la Terre pour une planète inconnue émettant des signaux. Une équipe explore la planète, découvre les restes d'un engin spatial colossal, des sortes d'œufs.

Le premier tournant s'étale de la vingt-cinquième à la trente-cinquième minute : une espèce de pieuvre jaillit d'un œuf et s'accole au casque de l'un des hommes. Tout l'équipage se trouve confronté à une nouvelle situation incluant un « alien » (un *autre*).

Le milieu du film (cinquante-septième minute) coïncide avec le surgissement de la « bête » du corps même de l'homme agressé. La seconde partie du second acte est consacrée à la chasse à l'alien.

Un des hommes d'équipage est un androïde.

Second tournant vers la quatre-vingt-cinquième minute du film : l'un des hommes d'équipage est un androïde et il révèle que la mission du cargo est de ramener l'alien, absolument hostile et indestructible, sur Terre.

Le lieutenant Ripley réussit à éjecter l'alien hors de la navette.

Le troisième acte est conçu selon des péripéties graduées : le lieutenant Ripley (Sigourney Weaver) reste seule face à l'alien, elle déclenche la mise à feu du cargo, se réfugie dans une navette, mais le monstre y a déjà pris place…

■ Le sujet

Gradation : au fur et à mesure que l'alien grandit, il devient de plus en plus méchant et de plus en plus intelligent.

Surprise : la vraie mission du cargo se révèle avec l'identité de l'androïde.

Que représente l'alien ? Un danger mortel, venu d'ailleurs, mais implanté dans le corps même d'un des membres de l'équipage. Que penser de cet ennemi en 1979 ?

La « bête » surgit du corps de l'homme.

HISTOIRE

GENRES ET FORMES

RÉALISATION

PRODUCTION/DIFFUSION

TECHNIQUES

LIRE UN FILM

La segmentation en séquences

La première étape du travail de l'analyse consiste en une segmentation selon certains critères internes ou externes à l'histoire. Cette segmentation laisse apparaître différents profils de séquences.

La segmentation

☐ Le film ainsi que les visées de l'analyse déterminent le niveau de segmentation, la taille des unités : actes, séquences, parties de séquences, plans, parties de plans. *La Corde* (Alfred Hitchcock, 1948), formé d'un seul plan, ne se découpe pas comme *Citizen Kane* (Orson Welles, 1941), d'emblée très structuré en séquences nettes, ou comme *La Règle du jeu* (Jean Renoir, 1939), dont les longues séquences finales invitent à une segmentation en sous-parties.

☐ Le découpage effectué dans le cadre de l'analyse, non soumis aux contraintes pratiques du tournage, ne se confond pas avec le découpage technique.

☐ Une séquence se définit comme un ensemble autonome de plans formant un tout du point de vue de l'intrigue. Un saut dans le temps, un changement de lieu, l'entrée ou la sortie d'un ou plusieurs personnages sont des éléments internes à l'histoire qui, parfois (pas toujours), indiquent le passage d'une séquence à une autre. Il arrive que ces changements de séquence s'accompagnent d'effets optiques (fondus, iris, volets). Mais, là encore, tout effet optique n'implique pas un changement de séquence. De même, tout changement de séquence n'implique pas l'intervention d'un effet optique. Il peut se faire par coupe franche et en être d'autant plus saisissant.

Les différents types de séquences

☐ *La scène* est une séquence en plusieurs plans, filmée en temps réel, dépourvue d'ellipses temporelles. Elle permet, par exemple, de restituer un dialogue *in extenso* en continuité.

☐ *Le plan-séquence* est une scène composée d'un seul plan. Il est caractérisé par une double continuité temporelle et spatiale. Le jeu de la profondeur de champ, des mouvements de caméra, des mouvements à l'intérieur du champ (déplacements de personnages ou d'objets, etc.) le rendent souvent aussi complexe qu'une scène, malgré l'absence de montage.

☐ *La séquence ordinaire*, type le plus courant, admet quelques ellipses temporelles. Elle respecte l'ordre chronologique des événements.

☐ *La séquence par épisodes* résume une lente et longue évolution (par exemple, la dégradation du couple Kane dans *Citizen Kane*) en une série de plans caractéristiques, brefs, séparés par des ellipses temporelles.

☐ *La séquence alternée* fait se succéder au moins deux séries d'événements simultanés (par exemple, une séquence de poursuite présentant alternativement poursuivis et poursuivants). Il arrive que seule une partie de la séquence présente cette construction en alternance (lorsque, par exemple, la poursuite n'arrive qu'en fin de séquence). On parle alors de montage alterné.

☐ *La séquence parallèle* fait alterner au moins deux séries d'événements ou de motifs sans lien temporel. Le lien entre les deux séries est d'ordre généralement symbolique et invite à la comparaison.

Volet au noir : l'image est balayée par un cache noir.

Volet simple : l'image est balayée par une autre image.

Fermeture à l'iris : un cercle qui part des bords de l'image se rétrécit progressivement, recouvrant l'écran de noir.

Fondu au noir : l'image s'obscurcit progressivement jusqu'à ce que l'écran devienne noir.

Fondu enchaîné : une image disparaît progressivement tandis que la suivante apparaît. Pendant quelques secondes, les deux images sont superposées.

Si le volet, l'iris et le fondu au noir ont le plus souvent une fonction démarcative, c'est moins souvent le cas du fondu enchaîné dont la caractéristique essentielle est de lier tout en séparant. En faisant durer la rupture, il l'atténue, l'adoucit. Il est fréquemment utilisé dans la séquence par épisodes, dans laquelle il relie en douceur les différents épisodes. Dans ce cas, il ne constitue pas une frontière entre séquences.

HISTOIRE

GENRES ET FORMES

RÉALISATION

PRODUCTION/DIFFUSION

TECHNIQUES

LIRE UN FILM

L'étape clé : le montage

La construction du récit s'élabore définitivement sur la table du montage. Le film y trouve son rythme en images et en sons. À la suite des cinéastes soviétiques des années 20, de nombreux réalisateurs considèrent le montage comme une étape fondamentale de l'écriture d'un film.

La fonction narrative

☐ Le cinéma classique cherche à raconter des histoires construites sur le rapport de cause à effet, sur un enchaînement logique d'actions. Le montage construit un espace-temps fictionnel perçu par le spectateur comme une réalité.

☐ Le cinéaste peut chercher à gommer toutes les ruptures liées à la fragmentation de la prise de vue. Il choisit alors au tournage d'adopter de longs plans-séquences, ou il prépare des raccords image qui facilitent une lecture continue du film.

☐ Le cinéaste utilise les possibilités offertes par le son, en décalant la bande image et la bande son. Le son tire l'image : les premières notes musicales apparaissent à la fin d'une séquence et préparent la suivante. Les derniers mots d'un dialogue se continuent sur le plan suivant, etc. Le montage peut au contraire nier les enchaînements, les successions de plans montés *cut* créent un choc.

☐ Le scénario a précisé la construction du récit. Celle-ci se conserve ou se modifie au montage. Les séquences sont montées dans l'ordre chronologique des actions ; ou, au contraire, on a recours au flash-back ou au flash-forward.

La fonction rythmique

☐ Le réalisateur donne au film un rythme correspondant à sa musique intérieure. Cependant, la perception du rythme est propre à chaque spectateur.

☐ Pourtant le rythme du film obéit à certaines règles. Une succession de plans larges avec des lignes horizontales paraît moins dynamique qu'une série de plans rapprochés avec des compositions verticales ou obliques. Le passage d'un plan large à un plan rapproché surprend le spectateur. Des plans sans mouvements internes sont perçus comme plus longs que des plans qui présentent une action très rapide. Les mouvements de caméra tendent à dynamiser l'image.

☐ L'utilisation de la bande son vient renforcer le rythme choisi ou, au contraire, agir en contrepoint sonore.

L'idéologie du montage

☐ Le montage peut chercher à s'effacer, à donner à voir et à ne pas se voir : c'est le cinéma de la transparence, comme le définit le critique André Bazin.

☐ Le montage a été au centre de la réflexion des ateliers soviétiques de Koulechov à Vertov. Eisenstein affirmait : « Deux fragments, quels qu'ils soient, placés ensemble, se combinent inévitablement en un nouveau concept, une nouvelle qualité... »

☐ La mise en rapport de deux plans successifs qui créent des rapports conceptuels ou symboliques a été utilisée par de nombreux cinéastes. Pour dénoncer les excès du modernisme, Chaplin, dans *Les Temps modernes*, juxtapose l'image d'ouvriers se rendant à l'usine et celle de moutons menés à l'abattoir.

EISENSTEIN : UN PRINCE DU RYTHME

■ La courbe du mouvement

Dans l'extrait suivant, Sergueï Eisenstein (1898-1948) décrit, quatorze ans après sa réalisation, « la courbe du mouvement » qui a présidé à la mise au point de la fameuse descente de l'escalier dans *Le Cuirassé Potemkine* (1925).

« [...] Laissant de côté l'exaltation des masses et des êtres représentés, étudions le développement du pathétique sur un caractère particulier, qui concerne la structure et la composition : *la courbe du mouvement*.

C'est d'abord un chaos (gros plan) de corps se ruant en avant. Puis un plan général de corps se ruant toujours en chaos. Puis ce *chaos* se transforme en martèlement *rythmique* des bottes des soldats descendant l'escalier.

Le mouvement s'accélère. Le rythme se précipite. L'apogée, le mouvement *descendant* se transforme soudain en mouvement *ascendant :* la *ruée des masses* (vers le bas) débouche sur la *lente* marche *solennelle* de la mère *seule* portant son fils (vers le haut).

La Masse. La ruée d'une coulée de lave. *Vers le bas.*

Gros plan.

Et puis soudain une figure *seule.* Lenteur solennelle. *Vers le haut.*

Cela ne dure qu'une seconde. Et de nouveau *saute inverse vers le bas.*

Et puis soudain une figure *seule.* Lenteur solennelle. *Vers le haut.*

Plan général.

Cela ne dure qu'une seconde. Et de nouveau *saute inverse vers le bas.*

Le rythme se précipite. Le mouvement s'accélère.

Brusquement, la *fuite de la foule* cède la place à la voiture d'enfant qui descend. Ce n'est plus seulement une accélération du *mouvement.* On saute à une *nouvelle méthode d'exposition.* Du figuratif on passe au physique, ce qui modifie la représentation de la descente vers le bas. Ainsi des *gros plans* passe-t-on aux *plans généraux.* Du mouvement *chaotique* (la foule) aux mouvements *rythmiques* (les soldats). D'une forme de mouvement (hommes qui courent, tombent) au stade suivant de ce thème du mouvement (la voiture d'enfant roulant). Du mouvement *vers le bas* au mouvement *vers le haut.* Des salves *nombreuses* tirées par de *nombreux* fusils à un coup *unique* tiré par un canon *unique.* Au bout du compte, ce n'est plus seulement l'épisode isolé (la voiture d'enfant), mais l'ensemble de la méthode d'exposition qui change totalement. Du type *narratif* on passe au mode *allégorique* de composition avec les lions rugissants.

Les passages par bonds successifs [...] reproduisent rigoureusement les degrés de l'escalier sur lequel l'action est emporté par rebondissements successifs vers le bas. »

Extrait de *Histoire générale du cinéma. L'art du muet,*
Georges Sadoul, Paris, Denoël, 1975.

HISTOIRE

GENRES ET FORMES

RÉALISATION

PRODUCTION/DIFFUSION

TECHNIQUES

LIRE UN FILM

L'analyse d'une séquence

> **La séquence, unité de taille moyenne, est l'interface entre le film entier, auquel elle apporte du sens, et les unités de plus petite dimension, les plans, qui créent sa cohérence interne. La séquence se compose d'éléments visuels et sonores mais aussi d'éléments suggérés ou laissés dans l'ombre.**

La séquence dans le film

☐ Une séquence est située au début, au milieu ou à la fin du film. Elle peut s'inscrire dans la continuité chronologique des événements ou, au contraire, constituer un flash-back ou une partie de flash-back et se confondre, par exemple, avec le récit d'un personnage.

☐ Un peu à l'image du film entier, la séquence classique possède une clôture. Elle est généralement structurée en trois parties : un début, un milieu, une fin, c'est-à-dire trois ensembles de plans regroupés selon des critères narratifs et dramatiques.

☐ Selon sa place et son contenu, la séquence possède une ou plusieurs fonctions narratives : il peut s'agir d'une séquence d'exposition, d'information, de transition, d'action, d'échange verbal… Si elle fait basculer le récit, elle constitue un pivot narratif.

☐ Elle répond parfois à une ou plusieurs autres séquences qui se déroulent dans le même lieu et/ou dans lesquelles interviennent les mêmes personnages, les mêmes objets ou la même musique. Cet ensemble forme un réseau de séquences qui invite d'emblée à la comparaison.

Les composantes de la séquence

☐ La séquence possède une dimension visuelle comprenant, d'une part, les éléments représentés dans l'image, leur position relative, le déplacement des personnages ou d'objets, les entrées et sorties du champ, d'autre part, leur mode de représentation à l'intérieur du plan : l'échelle des plans, les angles de prise de vue, la profondeur de champ, la lumière, les contrastes, les mouvements de la caméra, le mode de passage d'un plan à l'autre (raccord, fondu, etc.).

☐ L'agencement des plans et leur durée déterminent la structure rythmique (rythme lent, rapide, régulier, irrégulier, ruptures, accélérations ou détentes brusques ou progressives, etc.).

☐ La séquence comprend également des éléments sonores qui déterminent aussi la structure rythmique de la séquence : celle-ci peut présenter une continuité ou, au contraire, des ruptures sonores (apparition/disparition de la musique, bruits, dialogues) ; les différents sons peuvent se relayer ou au contraire se chevaucher (à intensité égale ou non), partiellement ou sur toute la séquence.

☐ Cependant, la signification ne repose pas seulement sur ce qu'une séquence donne à voir et à entendre. Elle repose également sur toutes sortes d'éléments implicites que le spectateur est en droit de déduire. Par ailleurs, il arrive fréquemment qu'une séquence, tout en offrant des informations, crée simultanément un manque cognitif sous forme d'énigmes, de questions, de mystères que le film élucidera ou non par la suite. Le sens de la séquence s'élabore autant à partir de ce qu'elle garde secrètement dans l'ombre qu'à partir de ce qu'elle montre.

■ Le synopsis du film

Pour se venger des femmes, Antoine a comme projet (soufflé par Jean, son ami libraire) de séduire une jeune femme, Catherine, de s'en faire aimer pour mieux l'abandonner, et de consigner chaque détail de cette aventure dans un journal intime que Jean fera ensuite publier.

■ La structure interne

Elle est située à 22 minutes 30 secondes du début de *La Discrète*, de Christian Vincent (1990) : Antoine se rend chez Catherine et, sous un faux prétexte, s'impose, trouble son travail, exaspère volontairement la jeune femme qui ne tarde pas à le mettre à la porte.

La description des premiers et derniers plans de la séquence laisse apparaître une structure symétrique : les trois premiers plans relatent l'arrivée d'Antoine chez Catherine, les trois derniers son départ ; les trois premiers présentent les objectifs de sa visite, les trois derniers en dressent symétriquement le bilan. Les uns et les autres sont accompagnés de la voix *off* d'Antoine (la partie centrale de la séquence se déroule en dialogues *in* et sans aucune intervention musicale).

■ La fonction de la séquence

Sans constituer un pivot narratif propre- ment dit, cette séquence a une fonction primordiale. En effet, d'une certaine manière, elle résume le film, elle le « contient », elle en est le condensé. La phrase : *Antoine s'introduit à des fins per- verses dans l'intimité de Catherine ; celle- ci le congédie*, s'applique aussi bien à la séquence qu'au film entier.

■ Des séquences en écho

Deux autres séquences d'échange ver- bal font écho à celle-ci :

Antoine arrive chez Catherine.

Catherine ouvre.

Catherine congédie le vindicatif Antoine.

– celle où Antoine raconte à Catherine une longue histoire, dans le but de l'amu- ser et de se réconcilier avec elle ;
– celle où c'est Catherine qui raconte un épisode de sa vie, et Antoine qui écoute et se tait.

Ces trois séquences proposent trois manières de mettre en scène la parole, thème central du film.

HISTOIRE

GENRES ET FORMES

RÉALISATION

PRODUCTION/DIFFUSION

TECHNIQUES

LIRE UN FILM

L'espace

L'espace filmique est l'espace imaginaire à trois dimensions dans lequel prennent place les événements. Il est constitué du champ (sa partie visible, comprise à l'intérieur du cadre) et du hors champ (sa partie cachée qui englobe le champ), deux espaces complémentaires, réversibles et communicants.

▬▬▬ L'espace filmique

☐ Au cinéma, l'espace se définit en tout premier lieu par le cadre, c'est-à-dire les bords de l'image. Le cadre constitue le seul élément permanent de l'image filmique, ce qu'il contient étant susceptible, à chaque instant, de se mouvoir et de subir des transformations.

☐ Le cadre délimite une image à deux dimensions qui pourtant produit une forte impression de réalité et donc de profondeur. Celle-ci conduit le spectateur à percevoir et à reconstituer mentalement un espace à trois dimensions, analogue à celui du monde réel qui l'entoure. Cet espace imaginaire tridimensionnel s'appelle le champ.

☐ L'impression de réalité a tendance à faire oublier le cadre, ou au moins à en atténuer la rigidité, suggérant qu'au-delà de ce cadre, l'espace du champ se prolonge. L'espace filmique se définit donc comme la somme de deux espaces imaginaires complémentaires : un espace visible, le champ, et l'espace invisible qui l'embrasse : le hors champ. Il suffit d'un mouvement de caméra ou d'un changement de plan pour que l'espace hors champ vienne occuper le champ, et inversement, que l'espace du champ se trouve relégué hors champ.

☐ On distingue deux types de hors champ : un espace qui a été vu antérieurement, autrement dit, qui, à un moment ou à un autre, a occupé le champ et a pu être mémorisé par le spectateur ; ou au contraire un espace qui n'a jamais été vu, qui apparaîtra ou non par la suite, laissé entièrement à la discrétion et à l'imagination du spectateur.

▬▬▬ La communication entre le champ et le hors champ

☐ Le hors champ n'existe qu'en fonction du champ auquel il est donc par essence lié, rattaché. Il se déduit, se construit à partir des éléments du champ. Tout personnage ou objet quel qu'il soit, lorsqu'il n'est que partiellement présent à l'intérieur du cadre, suppose nécessairement l'existence d'un hors champ (un personnage en plan américain, en plan rapproché, en gros plan, etc.).

☐ Lorsqu'une voiture entre dans le champ, elle arrive nécessairement d'un hors champ, au moment où elle en sort, elle rejoint le hors champ opposé. Il en va de même de toute entrée ou sortie de personnages, d'objets, etc. Les entrées et sorties se font le plus souvent par les bords latéraux de l'image, mais elles peuvent également se produire par le haut ou le bas du cadre, ou encore par l'avant ou l'arrière du champ.

☐ Enfin, le hors champ se trouve fréquemment interpellé par le regard, le geste, les paroles d'un personnage (ou les aboiements d'un chien, par exemple) situé dans le champ. De même, un bruit qui surgit du hors champ suscite la réaction d'un personnage dans le champ, qui va, par exemple, regarder hors champ, sortir du champ…

LE HORS CHAMP

■ **Le hors champ et la présence d'un danger : *La Féline***

1. Une jeune femme marche dans une rue sombre, la nuit.

3. Raccord sur le regard : plan de rue déserte et sombre (le hors champ du premier plan est dévoilé, mais le danger se cache ailleurs, dans un autre hors champ).

2. Elle ralentit son pas, s'arrête et regarde hors champ car elle a entendu des bruits de pas.

4. La jeune femme en plan plus rapproché regarde à nouveau hors champ.

Les films fantastiques, gothiques, d'horreur… ont fréquemment recours au hors champ pour suggérer la présence d'un danger. Ce danger, absent de l'image, acquiert une très forte présence et génère la peur de façon souvent plus efficace que s'il était montré comme le laisse deviner ces quelques photogrammes de *La Féline* de Jacques Tourneur (1942).

■ **Champ, hors champ et mouvements de caméra**

Dans certaines scènes de *Breaking the Waves* (Lars von Trier, 1996), la caméra,

portée à l'épaule à la manière documentaire, décrit des mouvements rapides et vertigineux, embrassant pour ainsi dire fiévreusement la totalité de l'espace. À tout moment, le champ est susceptible de fuir hors champ pour céder la place à une portion d'espace située elle-même hors champ une seconde avant. Cela entraîne une instabilité, voire une confusion des notions de champ et de hors champ et une annulation de la frontière qui les sépare traditionnellement.

HISTOIRE

GENRES ET FORMES

RÉALISATION

PRODUCTION/DIFFUSION

TECHNIQUES

LIRE UN FILM

Le temps

Le temps, composante fondamentale du récit, structure le film. Les principaux paramètres qui fondent la temporalité sont la date, la durée et l'ordre. Ces deux derniers permettent de mesurer la distance entre les événements qui composent l'histoire et la façon dont le film les organise.

La situation dans le temps

Le temps, au même titre que le lieu, est l'une des coordonnées du récit. L'histoire peut relater un fait plus ou moins précisément situé dans le passé (film historique), dans le futur (film de science-fiction) ou à l'époque contemporaine. Des éléments comme les costumes, les coiffures, les décors, les moyens de transport, et bien sûr, les événements eux-mêmes permettent de dater l'histoire et de mesurer le décalage entre l'époque de l'histoire racontée et celle de la production du film.

La durée

☐ Généralement, les films synthétisent en 1 h 30 ou 2 heures des histoires qui se déroulent sur un temps beaucoup plus long. Cependant, quelques rares films ont une durée égale à celle de l'histoire qu'ils racontent (*La Corde*, A. Hitchcock, 1948).

☐ À l'intérieur du film, on peut repérer isolément, à l'échelle de l'extrait, plusieurs formes d'organisation temporelle :

– l'événement est raconté en temps réel, dans sa continuité : la durée de l'extrait égale celle de l'événement ;

– le film condense le temps, résume les faits : la durée de l'extrait est inférieure à celle de l'événement. Le film use alors d'ellipses temporelles. Ces ellipses passent inaperçues ou, au contraire, produisent volontairement un effet de rupture. Dans ce cas, le film signifie l'écoulement du temps par des mentions écrites (« Trois ans plus tard… »), par la transformation d'éléments visuels de l'histoire (vieillissement des personnages, transformation d'un paysage au fil des saisons, etc.), grâce également à des images stéréotypées telles que le calendrier qui s'effeuille, l'horloge dont les aiguilles s'emballent, etc. ;

– le film dilate le temps : la durée de l'extrait est supérieure à celle de l'événement (moment de suspension retardant une résolution afin de créer une tension dramatique ; usage du ralenti) ;

– le film défile tandis que l'histoire est suspendue : c'est la description.

L'ordre

☐ Le film peut restituer les événements de l'histoire dans l'ordre chronologique ou bien user d'anachronies.

☐ Au cinéma, la figure d'anachronie privilégiée est le flash-back ou retour en arrière, qui consiste à montrer après coup un événement antérieur. Son symétrique, le flash-forward, présente, par anticipation, un événement futur. Beaucoup moins fréquent que le flash-back, il apparaît principalement dans les films de science-fiction.

☐ D'autres procédés permettent de faire surgir le passé ou le futur dans le présent : lorsque, par exemple, un élément nouveau oblige à réinterpréter un fait passé (film à énigme) ; ou, au contraire, lorsqu'un élément annonce un événement à venir.

LE FLASH-BACK

■ Ses fonctions

Le flash-back sert en général à restituer les souvenirs qu'un personnage se remémore ou raconte. Dans le premier cas, il est le seul mode d'accès aux pensées muettes du personnage. Dans le second, il est l'alternative à un récit oral. Il offre souvent une explication ou clarifie un mystère. Il a une fonction informative.

■ Les mesures

Sa durée, sa portée (écart temporel entre le moment de l'histoire où intervient le flash-back et le début des événements qu'il relate) et son amplitude (durée des événements compris dans le flash-back), sont très variables d'un film à l'autre. *Rebecca* (A. Hitchcock, 1940) compte deux flash-backs. Le premier, qui ouvre le film, est d'une portée limitée (« *La nuit dernière...* »), d'une assez faible amplitude (celle d'un rêve) et ne dure que deux minutes. Le second, qui court jusqu'à la fin du film (il dure presque deux heures) est d'une portée et d'une amplitude sinon mesurables, du moins beaucoup plus importantes. Sa durée, la disparition de la voix *off* et l'absence de retour au présent font vite oublier qu'il s'agit d'un flash-back.

■ La transition

Le flash-back est souvent introduit, ce qui permet un passage en douceur du présent au passé. Cette transition peut s'effectuer sur la bande image (fondu enchaîné) ou sur la bande son : la voix racontante *in* devient *off* et persiste un instant avant de laisser la parole aux événements qui apparaissent à l'image (la voix *off* ne disparaît pas nécessairement). *Le Jour se lève* (M. Carné, 1939) compte trois flash-backs séparés par des retours au présent.

Chacun d'eux est introduit par un fondu enchaîné, soit sur le visage de François, soit sur un objet qui stimule la mémoire du personnage et l'entraîne dans le passé.
Cependant, il n'est pas rare que le flash-back ne soit perçu comme tel qu'après coup. Le cinéma moderne fait un usage courant de cette pratique.

■ La valeur

Le flash-back est naturellement doté d'une valeur de vérité. Il « ne ment pas ». Les images et l'impression de réalité qu'elles produisent semblent plus vraies que les paroles.
Au début de *Chantons sous la pluie* (S. Donen et G. Kelly, 1952), Don raconte ses débuts de comédien. Apparaissent alors les images du passé qui viennent démentir ses paroles et rétablir la vérité.
Cependant, l'histoire du cinéma compte quelques exemples de flash-backs mensongers ou dont le contenu reste sujet à caution.
Dans *Rashomon* (Akira Kurosawa, 1950), quatre récits contradictoires relatent un même événement. Aucun des quatre n'est donné pour vrai ni au contraire clairement démenti. Le film repose précisément (entre autres) sur la fragilité des témoignages et, de là, sur celle de la notion de vérité.
Alfred Hitchcock, quant à lui, met délibérément en scène un flash-back mensonger en ouverture du *Grand Alibi* (1950). Jonathan Cooper prétend être recherché par la police pour un crime qu'il n'a pas commis. Son récit, traité en flash-back, acquiert automatiquement une valeur de vérité. Il faudra attendre le récit du personnage féminin complice du crime pour démentir le premier flash-back et établir la culpabilité de Jonathan.

HISTOIRE

GENRES ET FORMES

RÉALISATION

PRODUCTION/DIFFUSION

TECHNIQUES

LIRE UN FILM

Sons et images

> Le son (paroles, bruits, musique) au cinéma s'analyse dans son rapport à l'image : il est *in*, *off* ou hors champ. Soit il appartient à l'histoire, soit il la surplombe ou la commente. Lorsque sa source est visible, on peut définir un point d'écoute qui coïncide parfois avec celui d'un personnage.

Les constituants de la bande son

☐ La bande son est constituée de paroles, de bruits et de musique, qui interviennent ensemble ou non. À ces trois natures de son, il convient d'ajouter le silence, susceptible de produire un effet non négligeable.

☐ On peut établir une hiérarchie entre ces trois natures de son, selon le sens produit : les paroles sont généralement indispensables à la compréhension de l'histoire, les bruits bénéficient d'une certaine épaisseur sémantique, la musique, enfin, a une capacité moindre à signifier. Les frontières sont cependant très perméables : les bruits peuvent avoir, par leur rythme, un statut musical ; une chanson possède le double statut de paroles et de musique, etc.

Sons *in*, *off*, hors champ

☐ Le son trouve son origine soit dans l'espace du champ (il s'agit d'un son *in*), soit dans le hors champ contigu à l'espace du champ (il s'agit d'un son hors champ), soit dans un hors champ non contigu (il s'agit d'un son *off*). Le son hors champ produit un effet de liaison entre le champ et le hors champ.

☐ Généralement, les sons *in* et hors champ font partie de l'histoire. Les sons *off*, quant à eux, peuvent appartenir à l'histoire (voix *off* d'un personnage de l'histoire) ou non (voix ou musique extérieure).

☐ Les frontières entre sons *in*, hors champ et *off* ne sont pas hermétiques. Dans les scènes à ambiance sonore, par exemple, sons *in* et hors champ sont diffus, mêlés et difficiles à distinguer. Par ailleurs, il arrive qu'un son (une musique, par exemple), d'abord ressenti comme *off* et n'appartenant pas à l'histoire, se trouve soudain intégré à l'histoire et même à l'image (on voit, par exemple, apparaître le musicien en train de jouer la musique que l'on croyait *off* et qui, en réalité, n'était que hors champ).

Le point d'écoute

☐ Il n'y a pas toujours correspondance entre la distance séparant la caméra de la source sonore filmée et l'intensité du son émis. Il existe par conséquent un point d'écoute, indépendant du point de vue de la caméra, moins facilement localisable. Le point d'écoute peut être éloigné, plus proche que le point de vue de la caméra, ou se confondre avec lui.

☐ Le point d'écoute pose non seulement la question de la localisation par rapport à la caméra, mais aussi celle de savoir qui écoute. Il arrive en effet que le point d'écoute se confonde avec celui d'un personnage (exemple canonique : nous voyons un personnage en conversation téléphonique et nous entendons ce qu'il entend, c'est-à-dire les paroles de son interlocuteur).

■ La primauté du son sur l'image

Généralement, au cinéma, c'est l'image qui ancre l'histoire et, de ce fait, détient la primauté sur le son. Dans le générique de *Blow Out* (Brian De Palma, 1981), les images déclinent l'identité des stars et le titre du film. Leur sens reste donc extérieur à l'histoire. Et c'est au contraire le son qui produit directement le sens et introduit l'histoire.

L'image est pourtant assujettie à la bande son, d'abord selon un code rythmique (le rythme des apparitions et disparitions des noms est calqué sur celui des oscillations de l'aiguille, lui-même calqué sur celui de la bande son), ensuite selon un code sémantique (on entend un accident et on assiste à la collision des lettres puis des mots du titre).

Il faut noter que *Blow Out* raconte l'histoire d'un preneur de son qui découvre, lors d'un enregistrement nocturne en extérieur, la preuve d'un meurtre. Il s'agit d'un lointain remake de *Blow Up* (M. Antonioni, 1967), dans lequel un photographe découvrait sur l'agrandissement d'une photo la preuve visuelle d'un meurtre. Le son est donc non seulement l'élément central du film de De Palma, mais également l'élément qui le distingue de son film-source. À ce titre, le fait que, dans le générique, il introduise l'histoire avant l'image prend tout son sens.

■ Description du générique de *Blow Out*

PREMIÈRE PARTIE

Image : oscillation de l'aiguille d'un vumètre ; noms des producteur, réalisateur, acteurs principaux apparaissant au rythme du mouvement de l'aiguille.
Son : bruit du vent, battements de cœur, puis klaxon, crissement de pneus sur la chaussée et enfin cri d'une femme.

DEUXIÈME PARTIE

Image : lettres du titre défilant très rapidement en gros plan.
Son : bruit d'un accident de voiture.

TROISIÈME PARTIE

Image : les deux mots *Blow* et *Out* apparaissant de chaque côté de l'écran et entrant en collision.
Son : suite de l'accident.

HISTOIRE

GENRES ET FORMES

RÉALISATION

PRODUCTION/DIFFUSION

TECHNIQUES

LIRE UN FILM

Le personnage de film

Le personnage de film est avant tout une image, qu'il partage avec l'acteur qui l'incarne. C'est l'élément dynamique du récit, qu'il en soit le centre ou qu'il occupe une place plus périphérique. Il se définit par ce qu'il est, ce qu'il fait, mais aussi par rapport aux autres personnages.

La spécificité du personnage de film

☐ Le personnage de film apparaît sous la forme d'une image. Sans être réel, il ressemble aux personnes de la vie. Cependant, cette image est fragmentaire, le personnage est « découpé » par le travail du cadrage (lorsqu'il est filmé, par exemple, en plan rapproché).

☐ L'identité du personnage se double de celle du comédien qui l'incarne. Le personnage emprunte au comédien son apparence physique, sa voix, et il n'est pas toujours facile de faire la part de ce qui appartient en propre à l'un ou à l'autre. Le comédien n'est jamais un interprète neutre.

☐ Les films de genre ont donné naissance à des types de personnage tels que le cow-boy, le gangster, le détective, la femme fatale, l'extraterrestre… Plus encore, certaines séries ont créé des personnages quasi mythiques et interprétés par différents acteurs : Tarzan, James Bond, etc.

Décrire le personnage de film

☐ Le personnage se définit d'abord par ce qu'il *est*, par ses caractéristiques : traits physiques, costumes, coiffures, accessoires, traits psychologiques, sans oublier les informations, souvent nombreuses, apportées par les dialogues (certains films vont jusqu'à ne jamais dévoiler l'apparence d'un personnage, même important).

☐ Contrairement au personnage de roman, le personnage de film, au moment où il fait son entrée dans l'image, est déjà instantanément construit, il apparaît entier, porteur d'un certain nombre de traits que la suite du film viendra confirmer, renforcer ou, au contraire, contredire.

☐ Le personnage se définit par ce qu'il *fait*, par ses actions et leur impact dans le déroulement de l'intrigue.

☐ Enfin, les personnages se définissent et se construisent mutuellement. Leur confrontation permet d'observer en quoi ils se ressemblent, se complètent ou s'opposent.

La hiérarchie des personnages

☐ La plupart des films mettent en scène un personnage central (dans *Citizen Kane*, O. Welles, 1941, Kane lui-même), autour duquel gravitent un nombre assez réduit de personnages principaux (dans *Citizen Kane* toujours, le reporter, les deux femmes de Kane, Thatcher, Leland, Bernstein) et des personnages secondaires.

☐ Parmi les films, plus rares, qui n'admettent pas de hiérarchie, certains ne comptent qu'un seul personnage (Richard Nixon, seul dans son bureau, dans *Secret Honor*, de R. Altman, 1985), d'autres développent à égalité l'histoire de tous les personnages, créant un récit éclaté (*L'Âge des possibles*, P. Ferran, 1996), d'autres enfin racontent l'histoire d'un groupe de personnages solidaires ; le personnage est alors le groupe lui-même (*Les Mistons*, F. Truffaut, 1958).

PORTRAITS DE PERSONNAGES

■ La relation amoureuse

Au début de *L'Ami de mon amie* (E. Rohmer, 1987), deux couples mal accordés : Léa / Fabien, Alexandre / Adrienne et une jeune femme seule : Blanche, qui fait la connaissance de Léa.

Parmi ces personnages, il y a ceux qui aiment les sports nautiques et donc les vacances à la mer (Blanche, Fabien), et les non-sportifs qui préfèrent la campagne (Léa, Alexandre) ; ceux qui aiment le shopping et la danse (Léa), et ceux que cela n'intéresse pas (Fabien) ; les timides, émotifs, coincés incapables de draguer (Blanche), et ceux qui sont sûrs d'eux et provoquent les rencontres (Léa, Alexandre)...

Le jeu des ressemblances, des goûts partagés, des différences guidera les personnages vers une nouvelle répartition : Léa / Alexandre, Blanche / Fabien (Adrienne a disparu).

■ L'amitié entre Léa et Blanche

Blanche adore le sport, Léa le déteste ; Blanche est émotive, Léa est sûre d'elle ; Blanche est blonde, Léa est brune ; lorsque Blanche s'habille en bleu, Léa est en vert et vice versa (séquence de la piscine et dernière scène).

Deux personnages, point par point, parfaitement opposés. Pourtant, une amitié sincère les lie, une amitié qui repose sur un rapport de complémentarité : Blanche tente d'apprendre à nager à Léa (là où Fabien avait échoué) ; Léa aide Blanche à courtiser Alexandre...

Ce marivaudage moderne est entièrement construit sur le rapport entre les personnages, sur ce qu'ils sont et ce qu'ils aiment faire, sur leurs ressemblances, leurs différences. Une des morales du film semble tenir dans la formule : « En amour, il faut se ressembler, en amitié, il faut se compléter. »

Léa et Blanche dans *L'Ami de mon amie*.

HISTOIRE

GENRES ET FORMES

RÉALISATION

PRODUCTION/DIFFUSION

TECHNIQUES

LIRE UN FILM

La subjectivité

> Un film ou un extrait de film possède un caractère subjectif lorsque le spectateur est invité à partager le « point de vue » d'un personnage. Ce point de vue peut être de type narratif (récit d'un personnage) ou (audio)visuel. Il peut être clairement affiché ou rester plus ou moins implicite.

Le spectateur perçoit le récit d'un personnage

Le flash-back possède un caractère subjectif chaque fois qu'il présente le récit d'un personnage ou qu'il relate ses souvenirs. Le spectateur découvre alors l'histoire à travers la version, à la première personne, de ce personnage promu narrateur sur la totalité ou seulement une partie du film. Il assiste donc en différé aux événements. Il est en retard sur le personnage qui les a déjà vécus.

Le spectateur accompagne le personnage en direct

De nombreux films produisent une impression de subjectivité par la simple omniprésence d'un personnage à l'écran. Le spectateur accompagne le personnage à travers les événements, dans ses déplacements, il partage ses réactions, découvre toute chose en même temps que lui. Le personnage est une sorte de filtre à travers lequel le spectateur perçoit le monde que le film propose. Ce procédé pour exprimer la subjectivité est à la fois le moins marqué et le plus fréquent. Il facilite le processus d'identification du spectateur au personnage. Le film peut suivre ainsi plus d'un personnage, successivement ou en alternance.

Le spectateur est à la place du personnage

□ *Le spectateur voit ce que voit le personnage en même temps que lui :* il adopte son point de vue dans un sens strictement visuel. La caméra se trouve à la place du personnage. On parle alors de caméra subjective ou de plan subjectif. Certains plans sont qualifiés de semi-subjectifs. Dans ce cas, ce que l'on voit ne se confond pas exactement avec ce que voit le personnage mais s'en rapproche, la caméra est située juste à côté du personnage, de sorte qu'il apparaît en amorce.

□ *Le spectateur entend ce qu'entend le personnage :* symétriquement au point de vue visuel, on peut envisager un point de vue auditif (plus difficile à localiser), autrement dit un point d'écoute.

□ *Le spectateur entend les pensées du personnage :* il voit le personnage muet, en train de penser, et entend sa voix intérieure qui traduit son état, ses émotions, ses préoccupations. Le personnage pense en quelque sorte tout haut, laissant le spectateur s'introduire en lui.

□ Tous ces modes d'expression de la subjectivité ne s'excluent pas. Il arrive au contraire très fréquemment qu'ils se conjuguent et multiplient leurs effets. Dans le cas du flash-back, par exemple, le personnage se scinde en deux : il y a, d'une part, le personnage-narrateur qui apporte sa version des faits du passé (premier niveau de subjectivité), et, d'autre part, ce même personnage qui, à l'intérieur du flash-back, vit les événements au présent, et que la caméra peut traquer ou dont elle peut adopter le point de vue (second niveau de subjectivité).

■ Les deux premiers plans de *Halloween*

Plan 1 : il s'agit d'un plan-séquence subjectif, d'environ 4 minutes de *Halloween* (*La Nuit des masques*, John Carpenter, 1978).

Nuit de Halloween : plan d'ensemble de la façade éclairée d'une jolie maison, au bout d'une allée. Travelling avant jusqu'à ses abords, et l'on voit, par les fenêtres, une jeune fille embrasser un garçon et monter avec lui à l'étage. La caméra contourne la maison, pénètre dans la cuisine. On voit une main s'emparer d'un grand couteau de cuisine. La caméra va vers l'escalier, le garçon prend congé, la caméra monte l'escalier.

Palier : à terre un masque, dont se saisit la main ; on ne voit plus désormais que par les deux ouvertures du masque, et l'on entend une respiration, comme à l'intérieur du masque.

La caméra pénètre dans une chambre, approche la jeune fille nue installée à sa coiffeuse, qui se tourne vers l'objectif, s'exclame : « Michael ! » On voit la jeune fille frappée de coups de couteau, ensanglantée.

En un mouvement rapide, la caméra se détourne, redescend l'escalier, gagne la porte d'entrée au moment où une auto vient se garer devant la maison. Un couple en descend, regarde vers l'objectif (toujours masqué) : « Michael ? » Une main s'approche de l'objectif.

Plan 2 : on découvre le visage d'un enfant de 7-8 ans : il brandit encore le couteau. La caméra recule en travelling arrière jusqu'à la position initiale du premier plan.

Dans la suite du film, qui se situe quinze ans après ces événements, mouvements d'appareil et bruits de respiration seront interprétés, parfois à tort, comme des indices de la présence du tueur.

Plan d'ensemble de la façade éclairée de la maison.

On distingue par la fenêtre qu'une jeune fille est embrassée par un garçon.

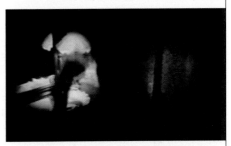
On ne voit plus désormais qu'au travers des deux ouvertures du masque.

Un enfant de 7-8 ans brandit un couteau.

HISTOIRE

GENRES ET FORMES

RÉALISATION

PRODUCTION/DIFFUSION

TECHNIQUES

LIRE UN FILM

Jeux d'acteurs

Les styles de jeu ne dépendent pas seulement de la formation et de la personnalité des comédiens. Ils sont aussi fonction des genres, des époques, des impératifs techniques et des exigences du metteur en scène. L'acteur est le premier objet du regard des spectateurs.

Quelques considérations techniques

☐ Au cinéma, l'acteur n'a pas à passer la rampe. Il peut chuchoter ses répliques, esquisser des expressions faciales, des gestes : la caméra les captera. L'usage du gros plan permet un jeu intime, intériorisé, nuancé. Mais les contraintes du découpage technique imposent, au tournage, un travail discontinu, émietté, souvent non chronologique. L'unité du jeu, qui est aussi celle du personnage, doit cependant être préservée (voir le rôle de la scripte, et, bien sûr, de la direction d'acteurs).

☐ Le comédien est tributaire du maquillage, du costume, des décors, des éclairages. Le cinéma expressionniste fait évoluer des acteurs fortement grimés dans des décors irréalistes et sous des éclairages très contrastés (*Faust*, de Murnau, 1926). Mais le cinéma muet, dès les années 1910-15, a pu développer un style de jeu sobre et naturel, sans surcharge expressive (voir *Germinal*, de Capellani, 1913). À Hollywood, dans les années 30-40, les éclairages modèlent le visage nimbé des stars selon les règles du glamour.

De la scène à l'écran

Les spectacles scéniques ont fourni des modèles de jeu : le mime et le comique, par exemple (grimaces et contorsions corporelles), ou le style noble et soutenu (maintien physique, diction impeccable, expressions faciales codifiées). Mais le cinéma a souvent infléchi ces styles, en autorisant une plus grande liberté des corps et de la parole. Le burlesque (Chaplin, Keaton, Tati) déchaîne les corps dans l'espace. En Russie, la FEKS (fabrique de l'acteur excentrique) forme, à partir de 1921, à l'acrobatie, au mime, au « ciné-geste », à la *commedia dell'arte* (voir *La Nouvelle Babylone*, de Kozintsev et Trauberg, 1929). Aux États-Unis, Lee Strasberg fonde la méthode de l'Actors Studio sur la mémoire affective, la recherche en soi des émotions à exprimer et leur extériorisation progressive (voir James Dean ou Robert De Niro).

Le travail et l'improvisation

☐ Les films offrent souvent l'impression du naturel. Les répliques semblent venir d'elles-mêmes : elles ont pourtant été écrites, apprises, répétées, parfois autour d'une table, puis sur le plateau. L'improvisation existe au cinéma, mais elle demeure relative, du fait des contraintes techniques et budgétaires. Elle s'appuie sur un canevas, une préparation préalable. Pierre Fresnay avait besoin d'un texte fini, qu'il apprenait à la perfection. Jean Gabin, Fernandel ne pouvaient s'en tenir au texte : ils improvisaient, mais dans certaines limites.

☐ Robert Bresson considère les acteurs comme des modèles dépourvus d'initiative, Jacques Rivette leur offre d'écrire leurs rôles, d'improviser des scènes.

☐ Le dialogue cinématographique peut être écrit ou réécrit lors du tournage, ce qui exige, des comédiens, de bonnes capacités d'adaptation.

Jack Lemmon dans *Certains l'aiment chaud* (B. Wilder, 1959) : le travestissement fait partie de l'histoire

Jerry Lewis dans *Docteur Jerry et Mister Love* (J. Lewis, 1963) : l'art de la composition et de la grimace.

Jean Gabin et **Louis Jouvet** dans *Les Bas-Fonds* (J. Renoir, 1936).
Renoir associe un acteur de théâtre (Jouvet) au jeu très concerté (pour jouer le baron déchu) et un comédien (Gabin) venu du « caf'-conc » et du music-hall (pour interpréter Pepel, voleur et vagabond).

Greta Garbo dans *La Reine Christine* (R. Mamoulian, 1933) : le glamour.

Isabelle Huppert dans *La Porte du paradis* (M. Cimino, 1980) : le naturel.

HISTOIRE
GENRES ET FORMES
RÉALISATION
PRODUCTION/DIFFUSION
TECHNIQUES
LIRE UN FILM

Théâtre et cinéma

À l'origine, le théâtre a servi de modèle au cinéma. Au début du parlant, les adaptations et les dialogues écrits par des dramaturges se multiplient, mais le cinéma moderne a su intégrer plus harmonieusement les apports du théâtre.

Du théâtre filmé à l'adaptation

Filmer le théâtre, ce peut être enregistrer des prestations d'acteurs (Sarah Bernhardt, dès 1900), une représentation, des répétitions ou opérer un simple découpage de la pièce en vue de sa réalisation cinématographique, ce qui n'exclut pas le talent (*La Flûte enchantée*, de Ingmar Bergman, 1974). L'adaptation suppose des aménagements du texte, de la dramaturgie, voire des transpositions radicales (*Le Château de l'araignée*, le *Macbeth* de Shakespeare transposé dans le Japon du XVIe siècle, de Akira Kurosawa, 1957 ; *Cyrano de Bergerac*, de Jean-Paul Rappeneau et Jean-Claude Carrière, 1990).

Des courants et des hommes

☐ Des hommes de théâtre, dramaturges, metteurs en scène, acteurs ont profondément marqué l'esthétique de certains films. Que l'on songe à Sacha Guitry et Marcel Pagnol, ainsi qu'à Louis Jouvet, en France. Que l'on songe également à des réalisateurs ayant effectué une double carrière, tels Ingmar Bergman, Luchino Visconti ou Rainer W. Fassbinder.

☐ Mais des courants artistiques ont aussi nourri l'évolution du cinéma. Ainsi du théâtre libre, dans la France des années 20, avec André Antoine (*La Terre*, 1921) ou de l'expressionnisme (Murnau a travaillé avec Max Reinhardt) en Allemagne. Bertolt Brecht a été adapté et a travaillé sur des scénarios (*Les Bourreaux meurent aussi*, de Fritz Lang, 1943) ; ses idées sur la distanciation critique ont influencé certains cinéastes modernes (Godard, Fassbinder).

☐ Enfin, les activités de l'Actors Studio ont, depuis les années 50, un impact important sur le cinéma américain : Elia Kazan (co-fondateur), Arthur Penn, Marlon Brando, Paul Newman, Robert De Niro, Harvey Keitel en sont issus.

La théâtralité au cinéma

☐ L'influence du théâtre, plus ou moins directe et diffuse, s'observe dans la composition dramatique de certains films. La division des scènes en temps réel, en actes bien distincts, le rôle prépondérant de la parole, l'importance de l'intrigue en sont des marques (voir les films d'Ernst Lubitsch ou de Éric Rohmer).

☐ Mais l'écriture scénique est aussi prise pour modèle. La caméra est alors frontale, placée face à la scène où évoluent les comédiens qui jouent pour les spectateurs. Le décor est un fond, il peut être stylisé, recomposé par les éclairages. Le jeu des acteurs se réfère lui-même à des styles dramatiques venus du théâtre. Comparer, par exemple, les jeux d'Emil Jannings dans *L'Ange bleu* (Joseph von Sternberg, 1930) et de N. Tcherkassov dans *Alexandre Nevski* (Eisenstein, 1938).

☐ Enfin, le théâtre est un motif, un sujet pour de nombreux films, de *Nana* (Jean Renoir, 1926) à *Opening Night* (John Cassavetes, 1978). Il offre un tremplin pour des réflexions sur le jeu et la représentation.

■ **Metropolis** de Fritz Lang, 1926-27

■ **Smoking/No Smoking** d'Alain Resnais, 1993

Monumentalité du décor, disposition géométrique des figurants, répartition des ombres et des lumières. Fritz Lang se serait inspiré des mises en scène théâtrales de Max Reinhardt.

Adapté de l'œuvre théâtrale d'Alan Ayckbourn, *Intimate Exchanges, Smoking/No smoking* se caractérise par les décors stylisés, les maquillages et la performance des deux comédiens (Sabine Azema et Pierre Arditi), qui interprètent les neufs rôles d'une histoire « arborescente ».

■ **Le Carrosse d'or** de Jean Renoir, 1952

Ce film avec ses décors stylisés, l'utilisation de la caméra frontale, la présence d'une scène de théâtre dans le film est un hommage à la *commedia dell'arte*.

HISTOIRE

GENRES ET FORMES

RÉALISATION

PRODUCTION/DIFFUSION

TECHNIQUES

LIRE UN FILM

L'adaptation

Dès 1911, *Les Misérables, Carmen, Faust, L'Assommoir*, et bien d'autres œuvres, étaient adaptés pour le cinéma. Il n'est pas rare que, certaines années, le nombre des adaptations dépasse celui des scénarios originaux : le cinéma dévore les fictions.

Une opération technique

□ L'adaptation est la transformation d'un objet littéraire (roman, nouvelle) fait de mots en un objet filmique fait d'images et de sons. C'est la transposition d'un ensemble de phrases, narrations et descriptions écrites en un ensemble de séquences plus ou moins dialoguées. Ce qui était donné à lire doit être donné à voir et à entendre. Ainsi, les lieux et les actions sont montrés, les personnages sont visualisés (incarnés par des acteurs), leurs propos, leurs pensées, leurs sentiments et leurs sensations sont exprimés par le dialogue, le jeu dramatique, la musique, le rythme du montage et la composition de l'image.

□ Les adaptateurs sont donc confrontés à des choix : quelle actrice choisir pour interpréter Gervaise ou Cosette ? Comment transposer un récit fait à la première personne ? à l'aide d'une voix *off* ? Quels épisodes ou personnages faudra-t-il supprimer (pour respecter la durée normale d'un film) ? Faudra-t-il, inversement, en ajouter, pour étoffer le contexte ou pour clarifier le récit ?

Esthétique et économie de l'adaptation

Un récit linéaire est plus simple à gérer qu'un récit polyphonique complexe. Un palais, une forêt, une bataille coûtent beaucoup moins cher sur le papier que sur l'écran. Une histoire contemporaine économise sur les costumes, sur les nécessités de la reconstitution historique. Mais ces déterminations économiques se doublent de décisions d'ordre esthétique, guidées par les intentions des auteurs. En 1944, Robert Bresson, avec l'aide de Jean Cocteau pour les dialogues, transpose un épisode de *Jacques le fataliste* de Diderot au cinéma. Dans *Les Dames du bois de Boulogne* on simplifie le dispositif narratif, on supprime des personnages et des épisodes, on concentre l'histoire sur quatre personnages et quelques décors, dans un Paris contemporain mais abstrait : économie, mais aussi intensité dramatique accrue.

La question de l'appropriation

Trois grands types d'adaptation peuvent être distingués, en fin de compte :
– la mise en images scrupuleuse et, si possible, fidèle du roman ; le cinéma est alors au service de l'œuvre littéraire ;
– l'utilisation de l'œuvre à des fins commerciales ou de prestige, pour attirer les spectateurs dans les salles et redorer le blason du cinéma : Hugo et Zola font toujours des entrées ;
– l'appropriation par un auteur d'une œuvre qui le touche mais qu'il n'hésitera pas à modifier pour l'intégrer à son univers propre : ainsi de Jean Renoir avec *La Bête humaine*, d'Orson Welles avec *Othello*, de Luchino Visconti avec *Senso* ou d'Akira Kurosawa avec *Ran*. C'est bien alors la littérature qui est adaptée au (grand) cinéma.

ADAPTATIONS ET REMAKES

■ Adaptations en chaîne : Fritz Lang et Jean Renoir

Par deux fois, Fritz Lang a réalisé le remake d'un film de Jean Renoir qui était lui-même l'adaptation d'une œuvre littéraire. Les films de Lang se réfèrent aux films de Renoir, non aux romans d'origine.

Mais chaque adaptation renvoie à des genres spécifiques des pays producteurs (le film réaliste-naturaliste français, le film noir américain) et à des univers d'auteurs.

La *Bête humaine*, film de J. Renoir (1938), se déroule en 1938.

Bête humaine, roman de Zola (1890), se déroule sous le Second Empire.

Désirs humains, film de F. Lang (1954), se passe aux États-Unis après la guerre de Corée.

■ Adaptations multiples : l'exemple de Hire

V. Romance et M. Simon dans *Panique*.

M. Blanc et S. Bonnaire dans *Monsieur Hire*.

Les Fiançailles de monsieur Hire est un roman publié par Georges Simenon en 1933. En 1946, Julien Duvivier et Charles Spaak en offrent une adaptation sous le titre *Panique*, avec Michel Simon et Viviane Romance. En 1989, Patrice Leconte revient au roman et réalise *Monsieur Hire*, avec Michel Blanc et Sandrine Bonnaire. L'œuvre de Duvivier, malgré de grandes libertés prises avec l'histoire, est proche de Simenon par le climat social décrit (délation, antisémitisme, mesquineries et lâchetés collectives).

Le film de Leconte se concentre sur Hire, sa personnalité complexe, sa relation ambiguë et perverse avec Alice. Chez Duvivier, Hire est victime de la société, chez Leconte, il l'est de ses propres passions.

HISTOIRE

GENRES ET FORMES

RÉALISATION

PRODUCTION/DIFFUSION

TECHNIQUES

LIRE UN FILM

Le suspense

Cet anglicisme désigne un procédé dramatique consistant à instaurer et prolonger l'attente anxieuse des spectateurs face à une situation particulièrement tendue. Le suspense a ses maîtres : F. Lang, A. Hitchcock, B. De Palma… Il est un des fondements de l'émotion cinématographique.

Suspens, suspense, surprise

☐ L'art de capter l'attention du spectateur recourt volontiers à ces techniques bien distinctes mais complémentaires. Le suspens entretient le désir d'en savoir plus, l'envie que l'histoire se poursuive : que va-t-il arriver, que vont devenir les héros, et après ?

☐ La surprise apporte une information inattendue, fait surgir un événement ou un personnage infléchissant brusquement le cours du récit : la guerre (ou une bombe) éclate, quelqu'un disparaît (*L'Avventura*, de Michelangelo Antonioni, 1960), un prisonnier dans sa cellule change d'aspect physique (*Lost Highway*, de David Lynch, 1997).

☐ Le suspense intensifie l'effet d'attente et le prolonge. Il place généralement le spectateur face à une alternative angoissante : le personnage sera-t-il vu ou non, pris ou pas pris, tué ou sauvé ?

Les composantes du suspense

Une séquence à suspense efficace implique généralement :
– que le spectateur sache ce qui menace le personnage (un tueur, le dépassement d'un délai) ou ce qui lui importe vraiment (voler des bijoux, retrouver quelqu'un) ; ce savoir, le personnage ne le partage pas nécessairement ;
– que l'enjeu soit important, voire essentiel (vie, liberté, argent, amour) ;
– que l'alternative vie/mort, réussite/échec se concentre dans une situation donnée et se prolonge dans la durée, par des effets de dilatation temporelle.

Les techniques du suspense

☐ Pour attiser l'angoisse du spectateur, les maîtres du suspense recourent le plus souvent à des procédés :
– de concentration dans l'espace et dans le temps : une route et un champ déserts, un homme attaqué par un avion (*La Mort aux trousses*, d'Alfred Hitchcock, 1959) ; un escalier dans le hall de la gare de Chicago, Elliott Ness doit y intercepter le comptable d'Al Capone avant qu'on ne l'exécute (*Les Incorruptibles*, de Brian De Palma, 1986) ;
– d'amplification de la tension et de l'émotion, par le rythme du montage, la musique, l'usage du gros plan de détail ou de visage (un doigt sur une gâchette, un œil qui guette), la répartition des lumières et des ombres ;
– d'alternance des points de vue, nous plaçant du côté de la victime potentielle puis de l'agresseur ou jouant de l'identification successive à la victime, au bourreau et au sauveur (*Le Silence des agneaux*, J. Demme, 1991).

☐ Il s'agit, dans tous les cas, d'intensifier notre impuissance de spectateur à intervenir dans le cours des événements, pour notre plus grand plaisir…

■ Perfection d'un suspens en 28 plans

L'ouverture de *Man Hunt* (*Chasse à l'homme*, Fritz Lang, 1941) est celle d'un maître des techniques suspensives, Fritz Lang, auquel Alfred Hitchcock et quelques autres doivent beaucoup. En 3 minutes 27 secondes, F. Lang découpe une séquence en 28 plans pour installer le suspens.

« *Quelque part en Allemagne peu avant la guerre* », une forêt, des traces de pas, un chasseur de type anglais, silence (*3 plans*) : SUSPENS.

Le jeu des points de vue : Hitler à travers la lunette.

Le chasseur se dissimule ; on voit un soldat allemand. Le chasseur gagne un promontoire (*3 plans*) : SURPRISE et SUSPENS intensifié.

Le chasseur semble content de ce qu'il découvre avec ses jumelles et ajuste une lunette d'approche à son fusil (*4 plans*) : SUSPENS, ÉNIGME (que voit-il ?).

Par la lunette nous découvrons Hitler (*1 plan*) : SURPRISE.

Le chasseur vise, appuie sur la gachette, le coup ne part pas, le chasseur salue sa cible de la main avec un sourire victorieux (*4 plans*) : SUSPENSE court, SURPRISE, ÉNIGME (que signifie ce comportement ?).

L'art de l'insert : gros plan du doigt sur la gachette.

Le chasseur se ravise, place une balle dans le chargeur, vise à nouveau, le soldat allemand surveille, une feuille qui tombe gêne le tir (*6 plans*) : SUSPENSE.

Le soldat bondit sur le chasseur, le coup part, ils luttent, *fondu au noir* : RÉSOLUTION du suspense, nouveau SUSPENS.

Le nouveau suspens relance l'intérêt du spectateur (que va-t-il arriver maintenant ?), l'énigme reste entière (que signifie tout cela ?). Nous savons que Hitler n'est pas mort avant la guerre : ceci n'empêche nullement le suspense de fonctionner, parce qu'il est un effet de la structure.

L'art de l'espace : plan général avec le soldat allemand à gauche et le chasseur.

HISTOIRE

GENRES ET FORMES

RÉALISATION

PRODUCTION/DIFFUSION

TECHNIQUES

LIRE UN FILM

Cinéma et société

> Tout film parle, directement ou indirectement, de la société dans laquelle il s'inscrit en tant que produit culturel. Les représentations des catégories sociales, des minorités, des faits historiques, des peurs et des périls économiques, écologiques, politiques varient en fonction du contexte social.

Propagande et engagements directs

☐ Dans certains contextes politiques, le cinéma est un instrument de propagande, un outil militant. Lénine, en Union soviétique, Goebbels, dans l'Allemagne nazie, avaient fixé au cinéma des missions d'État de propagande idéologique. Les actualités et les documentaires sont les genres privilégiés du cinéma orienté (voir *Le Triomphe de la volonté*, de Leni Riefenstahl, en 1934 : un reportage sur le congrès de Nuremberg). Mais le récit peut aussi se mettre au service d'idéaux, entremêlant le réalisme, la fiction et le discours militant. Il en est ainsi de *La Vie est à nous* et du *Crime de M. Lange*, de Jean Renoir, en 1935, en faveur du Front populaire, ou de nombre de films américains des années 40, soutenant l'effort de guerre.

☐ La sélection des images, leur traitement (on peut trafiquer un document, imiter le style des images d'archives), leur montage sont au service d'un discours partisan. Le rôle du commentaire est, à cet égard, souvent capital (voir *Lettre de Sibérie*, de Chris Marker, 1958 où les mêmes images changent de sens suivant les paroles prononcées par la voix *off*).

Cinéma et Histoire

La représentation des grands événements historiques, au-delà de la reconstitution spectaculaire, sert l'identification d'une société. En 1938, S.M. Eisenstein filme la geste d'un héros russe du XIIIe siècle, *Alexandre Nevski*, contre les chevaliers teutoniques : il s'agit d'éveiller les consciences soviétiques aux menaces pesant sur leur nation. Des cinéastes comme Sacha Guitry et Roberto Rossellini ont donné des images fort différentes de Louis XIV (*Si Versailles m'était conté*, 1953, *La Prise du pouvoir par Louis XIV*, 1966) : deux auteurs, deux contextes...

Fictions et représentations sociopolitiques

☐ En 1969-71, *Le Chagrin et la Pitié* de Marcel Ophüls (vaste enquête sur l'Occupation à Clermont-Ferrand) bouleverse l'image que le cinéma donnait de la Résistance et de la Collaboration. Des films de fiction suivront, tel *Lacombe Lucien* (Louis Malle, 1974). C'est ainsi que les personnages de films jouent de nouveaux rôles, sont chargés de nouvelles significations.

☐ Dans la science-fiction américaine des années 50, durant la guerre froide, les « envahisseurs » évoquent l'ennemi communiste. Avec *Rencontres du troisième type* (Steven Spielberg, 1977), ce sont les extraterrestres qui protègent les humains contre leurs folies (période écologique).

☐ Les nouvelles épidémies (Sida), la montée des périls économiques et politiques planétaires (chômage, délinquance, terrorisme) voient l'apparition d'« aliens » agressifs. Femmes, homosexuels, Noirs, adolescents : toutes ces images évoluent, accompagnant, pour les souligner ou les conjurer, les mutations sociales.

LES DEUX FINS DE *LA BELLE ÉQUIPE*

La Belle Équipe, de Julien Duvivier (scénario de Charles Spaak), a été tourné durant l'été 1936, alors que le Front populaire, passé l'euphorie de la victoire électorale, connaît ses premières difficultés : conflits sociaux, guerre civile en Espagne, menées de Hitler.

■ L'histoire

Cinq amis, ouvriers au chômage, gagnent à la loterie. L'un d'eux (Jean Gabin) les persuade d'unir leurs gains pour monter une guinguette. Au début, tout va bien. Puis les obstacles s'accumulent : un orage détruit le toit, l'ex-épouse de Charles réclame sa part d'argent, puis séduit Jean ; Tintin se tue accidentellement ; Jacques part pour le Canada ; Mario, réfugié politique espagnol, est expulsé. La belle équipe est dispersée.

■ Les valeurs populaires

Le film illustre les valeurs, quasi mythologiques, du Front populaire : la solidarité ouvrière, prônée par Jean, et se traduisant par une association financière, différant cependant d'une véritable coopérative (voir *Le Crime de M. Lange*, de Jean Renoir) ; l'importance du travail et de la lutte collective contre l'adversité (voir la nuit passée sur le toit pour combattre les effets de l'orage) ; la colère contre les nantis, les propriétaires, toujours prêts à exploiter les travailleurs ; le goût des plaisirs en commun, à la bonne franquette : chansons, danse et canotage sur les bords de Marne, lieu privilégié des congés payés parisiens.

■ Les deux fins

Dans sa première version, le film se termine tragiquement. La belle équipe ne résiste pas aux coups du destin. Jean finit par tuer Charles et par dire adieu à « une belle idée ». « C'était trop beau pour réussir ». Ce dénouement illustre certes le pessimisme profond des auteurs, mais il exprime aussi celui d'une époque : l'éclaircie du Front populaire n'a pas dissipé les lourds nuages environnants. Néanmoins, cette fin n'est pas appréciée. Le public boude. À la demande des producteurs, Duvivier modifie le montage des scènes finales : l'amitié de Jean et de Charles résiste aux charmes délétères de Gina, ils poursuivront la réalisation du rêve collectif. Le film est un succès.

Ces deux versions manifestent deux fonctions possibles du cinéma : reflet plus ou moins lucide des réalités et des mentalités, correctif imaginaire des pesanteurs sociales ou historiques. Durant la Dépression, aux États-Unis, on a tourné de très belles comédies musicales…

Les actualités

Les actualités sont nées avec le cinéma, puisque les opérateurs-reporters de Louis Lumière ont très tôt collecté des images d'événements majeurs à travers le monde. Mais l'on n'hésitait pas non plus à reconstituer en studio ou en plein air des faits spectaculaires ou dramatiques que les caméras n'avaient pu saisir sur le vif (affaire Dreyfus, guerre des Boers, par exemple). Les imperfections propres au tournage en direct étaient parfois reproduites pour donner plus d'authenticité au « document ». En 1908, Pathé-Journal distribue le premier hebdomadaire d'actualités cinématographiques, suivi par Gaumont-Actualités, Éclair-Journal et plus tard par les Actualités françaises, Fox Movietone, etc. Le Service cinématographique des armées, créé au cours de la guerre de 14-18, produira de précieuses archives filmiques, qui passent toutefois au crible de la censure. Concurrencées par la télévision, elles disparaissent définitivement vers 1980.

INDEX DES AUTEURS

Crédits photographiques

p. 5 : Collection Cinémathèque Française – musée du Cinéma ; **p. 7** : Pathé ; **p. 9** *g* : DR Collection BIFI ; *d* : Collection Viollet ; **p. 11** : Cinémathèque Française/Archives Nathan ; **p. 13** : DR Collection BIFI ; **p. 15** *h* : Collection Viollet ; *b* : DR Collection BIFI ; **p. 17** *d* : DR Collection BIFI ; *g* : © Roy Export Company Establishment/Archives Nathan ; **p. 19** *de g à dte* : Collection KIPA, Collection Christophe L., Collection Christophe L., Collection KIPA ; **p. 21** *hg* : Photo R. Voinquel/KIPA © Ministère de la Culture, France ; *hd* : Collection Christophe L. ; *mg* : Collection BIFI/MPC/Photo R. Corbeau © Ministère de la Culture, France ; *md* : DR Collection BIFI ; *bd* : Collection Christophe L. ; *bg* : DR Collection BIFI ; **p. 23** *hg* : Photothèque du Centre de Documentation juive contemporaine ; *bg* : Continental Films/Collection BIFI ; *d* : Collection Christophe L. ; **p. 25** *h* : Lipnitzki-Viollet ; *m.* : Collection Christophe L. ; *b* : DR Collection BIFI ; **p. 27** *g* : DR Collection BIFI ; *d* : Collection Christophe L. ; **p. 29** *g* : DR Collection BIFI ; *d* : Collection Positif ; **p. 31** : DR/Archives Nathan ; **p. 33** *h* : DR Collection BIFI ; *b* : Collection Christophe L. ; **p. 35** *g, d* : Collection Christophe L. ; **p. 37** : Production Ognon Pictures/Distribution Pyramide ; **p. 39** *g* : Sunset/KIPA ; *d* : Cats/KIPA ; **p. 41** *h* : Collection Christophe L. ; *b* : D. Rabourdin/Collection Cahiers du Cinéma ; **p. 43** *g* : © Roy Export Company Establishment/Archives Nathan ; *d* : Collection KIPA ; **p. 45** *g* : Cats/KIPA ; *d* : DR/Collection BIFI ; **p. 47** *g, d* : Collection Christophe L. ; **p. 49** : Collection Positif ; **p. 51** : Collection KIPA/Interpress ; **p. 53** *g* : DR/Collection BIFI ; *d* : R. Depardon/Magnum ; **p. 55** *d, g* : Collection Christophe L. ; **p. 57** *h* : extrait du livre *Kubrick* par Michel Ciment, Paris, Calmann-Lévy, 1980, p. 139 ; *b* : Collection Christophe L. ; **p. 59** *h* : « La Chaplinade » de Fernand Léger, musée municipal de Saint-Dié, Legs Claire Goll ; *bg* : Sergueï Youtkevitch « Charlot », 1926, DR Collection Cinémathèque Française ; *bd* : Sergueï Youtkevitch « Sergueï Eisenstein », 1926, DR Collection Cinémathèque Française ; **p. 61** *g, d* : Collection Christophe L. ; **p. 63** : Archives Films Paul Grimault ; **p. 65** : D. Rabourdin/Collection *Cahiers du Cinéma* ; **p. 71** : Collection KIPA/Interpress ; **p. 73** *g* : Moune Jamet/SYGMA ; *d* : Collection Positif ; **p. 75** *g* : P. Baril/KIPA ; *d* : A. Denize/KIPA ; **p. 77** *gb* : Lauros-Giraudon ; *bd* : Collection KIPA ; *h* : Collection Christophe L. ; **p. 79** *g* : Collection KIPA ; *d* : Collection Christophe L. ; **p. 85** : J. Prébois/KIPA ; **p. 87** *h* : F. Hanoteau ; *bg* : J. Vigne *in* Maurice Bessy, *Les trucages au cinéma*, Paris Prisma, 1951 ; **p. 91** : Photo Benoît Barbier/SYGMA © RENN Productions ; **p. 93** : Collection Christophe L. ; **p. 97** *g* : S. Gaudenti/KIPA ; *d* : C. Russeil/KIPA ; **p. 99** *g* : SYGMA ; *d* : FIF/DDB Les Arts ; **p. 101** : Les Archives du Film/CNC ; **p. 103** : Canal + ; **p. 105** *g* : Collection KIPA ; *d* : Daniel Keryzaouen/Cinémathèque Française ; **p. 107** : R. Mercier/Femis ; **p. 111** : MK2 Diffusion ; **p. 113** : F. Hanoteau ; **p. 115** : Collection Vincent Pinel/*Cahiers du Cinéma* ; **p. 117** : D. James/SYGMA ; p. 119 *h* : P. Pimentel/KIPA ; *b* : Cats/KIPA ; **p. 121** *h* : Décor d'Alexandre Trauner pour *Le Jour se lève*, © ADAGP, Paris, 1997 ; *bg et bd* : R. Voinquel, © Ministère de la Culture, France, Collection BIFI ; **p. 123** : © Warner Bross/Collection BIFI ; **p. 125** *g* : Marouze/KIPA ; *d* : F. Pagès/KIPA ; **p. 127** *g* : Collection Positif, *dh, dm, db* : Cats/KIPA ; **p. 129** *h* : Saul Bass/Positif ; *bg* : Deux photogrammes du générique de *L'Homme au bras d'or* d'Otto Preminger, 1955, A.T. Productions, Antares & Travelling, collection Hollywood Memories ; *hd* : Deux photogrammes du générique de *Psychose* d'Alfred Hitchkock, 1960, CIC Video Universal ; *bd* : Trois photogrammes du générique de *Casino* de Martin Scorsese, 1995, Universal City Studios inc. et TF1 international, Éditeur Distributeur : TF1 Entreprise ; **p. 131** : Photogrammes tirés du film *Alien*, de Ridley Scott, 1979, Universal ; **p. 135** : DR/Collection BIFI ; **p. 137** : Photogrammes de *La Discrète* de Christian Vincent, 1990, Les productions Lazennec, photos Pascale Bailly ; **p. 139** : Photogrammes extraits de *La Féline* de Jacques Tourneur, 1942 ; **p. 143** : Images tirées du générique du film *Blow Out*, de Brian de Palma, 1981, Universal ; **p. 145** : © Les Films du Losange ; **p. 147** : Images extraites du film *Halloween*, de John Carpenter, 1978, UGC Video ; **p. 149** *hg* : Cats/KIPA ; *bg* : Archives Nathan ; *hd* : Collection Christophe L. ; *md* : Archives Nathan ; *bd* : Collection *Cahiers du Cinéma* ; **p. 151** *hg* : DR/Archives Nathan ; *hd, dm* : J. Delaporte/SYGMA ; *bd* : Ronald/DR/KIPA ; **p. 153** *hg* : Collection Christophe L. ; *m.* : Collection Henri Mitterand ; *hd* : Collection Christophe L. ; *bg* : R. Voinquel/Cats/KIPA, © Ministère de la Culture, France ; *bd* : Leroy/SYGMA/KIPA ; **p. 155** : Images tirées du film *Man Hunt* de Fritz Lang, 1941.

Édition/Maquette : Annie Herschlikowitz – **Iconographie** : Monique Durguerian – **Maquette de couverture** : Favre-Lhaïk – **Illustration de couverture** : G. de Montrond - A.Vuarnesson – **Fabrication** : Pierre David – **Composition et photogravure** : Compo 2000

N° d'éditeur : 10081711 - (IV) - 17 - CAB 80 - Novembre 2000
Imprimé en France par CLERC S.A. - 18200 Saint-Amand-Montrond - N° 7419